GRINGO

Obras do autor publicadas pela Record

Cartas do Everest

Gringo

Coleção Viagens Radicais

Aventura no topo da África

Cruzando a última fronteira

Egito dos Faráos

Em busca do mundo maia

Expresso para a Índia

Na estrada do Everest

Na trilha da Humanidade

Pelos caminhos do Tibete

Travessia da Amazônia

Vietnã pós-guerra

Coleção Expedições Urbanas

Havana

Jerusalém

Airton OrtiZ

GRINGO

1ª edição

EDITORA RECORD
RIO DE JANEIRO • SÃO PAULO
2012

CIP-BRASIL. CATALOGAÇÃO NA FONTE
SINDICATO NACIONAL DOS EDITORES DE LIVROS, RJ

Ortiz, Airton, 1954-
O89g Gringo / Airton Ortiz. – Rio de Janeiro: Record, 2012.

ISBN 978-85-01-40052-9

1. Romance brasileiro. I. Título.

12-5070 CDD: 869.93
CDU: 821.134.3(81)-3

Capa: Laboratório Secreto

Texto revisado segundo o novo Acordo Ortográfico da Língua Portuguesa.

Impresso no Brasil

ISBN 978-85-01-40052-9

Somos o resultado das viagens que fazemos,
dos livros que lemos
e das pessoas que amamos

1

Litoral do Brasil

— Alô, mamãe.

— Alô.

(Victor se retira para atender o telefonema. Há barulho no bar, ele sai para a calçada; Búzios é uma festa. Atravessa a rua e vai conversar à beira-mar, em frente à estátua de Brigitte Bardot.)

— O que foi? Acabei de chegar, mamãe.

— Chegou e deve voltar!

— Voltar? Aconteceu alguma coisa?

— Está aqui na minha mão.

— Quer parar de fazer tanto mistério?

— O telegrama comunicando que você passou no concurso!

— Não!

— Sim!

— Não!

— Sim!

— A senhora tá falando sério?

— E eu lá iria brincar com isto?

— Passei mesmo?

— Passou.

— Passei?

— Passou!

— Caramba! Eu passei! Passei, caramba! Passei!

2

Sítio Arqueológico de São Miguel Arcanjo — São Miguel das Missões — Sul do Brasil

— Impressionante.

(Vincent continua a leitura.)

"Se pensais que vivo no meio de bárbaros, estais completamente enganado. Nos Sete Povos começa a nascer uma das mais belas civilizações de que o mundo tem notícia. Enquanto vos escrevo, vejo através da janela a nossa bela catedral, toda de arenito vermelho, com seu tímpano grandioso, o seu átrio com uma longa fileira de colunas, e a sua resplandecente cruz de ouro. Seu estilo lembra o de certas igrejas do fim do renascimento italiano (o que não é de admirar, pois foi ela construída por um milanês)."

(O holandês fecha o livro. Das mais de mil páginas de *O tempo e o vento*, esta parte da carta que o padre Alonzo escreve à família, na Espanha, é a passagem que mais gosta. Lia em frente à antiga catedral, agora em ruínas.)

"Padre Alonzo, mais do que admirar a arquitetura da sua bela catedral, gosto de imaginar a cidade em sua época dourada, quando o senhor viveu aqui. Aguçando o ouvido, posso escutar os badalos do sino: hora da missa. Os personagens recriados por

Érico Veríssimo humanizam o cenário, dão vida aos prédios e aos descampados, iluminam a solidão do pampa. Impressiona como um povo silvícola tenha construído uma civilização tão solidária, rica em humanismo e cultura."

(Mas a habilidade guarani não desapareceu por completo, embora esteja canalizada para outra atividade: ganhar a vida.)

"Talvez sobreviver e alimentar a família vendendo artesanato seja ainda mais nobre do que construir instrumentos musicais e talhar imagens de santos, vai depender do enfoque dado às realizações humanas."

(Com um gesto de mão, Vincent afasta o raciocínio lógico que costuma se intrometer em seus pensamentos romanceados.)

"Bom mesmo seria voltar no tempo e caminhar entre os indígenas, observar o cultivo da erva-mate, o cuidar do gado; vê-los esculpir as imagens e como construíam os instrumentos que tocavam nas celebrações."

— Bom dia.

— Ãh?

— Bom dia.

— Ah! Bom dia.

(Vincent não havia notado o senhor que se aproximara.)

— Bonito?

— Sim, muito bonito.

— Trabalhei na restauração da catedral, posso mostrar lugares proibidos aos turistas.

(Está desempregado, precisa fazer algo para sustentar a família. Ele não sabe tecer, esculpir, fundir, pintar e nem fabricar instrumentos musicais; sua arte se resume a pequenos trambiques. A realidade que Vincent encontra no Novo Mundo é bem menos animadora do que os esplendores descobertos pelos antigos europeus.)

— Ah, é?

(Ele tem a sua frente, de um lado, o passado glorioso, formatado em pedras seculares, impassíveis ao tempo; e, de outro, o presente frágil, uma história humana que pode desaparecer sem deixar vestígios.)

"Caso esse homem e sua família morressem de fome, ninguém ergueria uma estátua, padres não prestariam homenagens, turistas não acorreriam pra visitar as sepulturas. Ele deve saber disso, imagino que não se iluda com o passado glorioso dos ancestrais; procura apenas sobreviver no presente sem esperar nada do futuro."

— Atrás da catedral há um túnel, uma passagem secreta utilizada por Sepé Tiaraju pra ajudar os padres a fugirem.

(É um contraste com os fantasmas históricos que Vincent imaginava se moverem entre os prédios suntuosos. Ele então resolve espantá-los e se concentrar no personagem de carne e osso, vivo a sua frente.)

— Não me interessa o túnel, mas pago por umas fotos do senhor em frente à igreja; vai enriquecer a minha tese.

— Pode ser.

(O quadro formado pela imagem do indígena calçando tênis puídos, enfiado em uma calça *jeans*, usando uma camiseta com dizeres em inglês e um boné vermelho com propaganda de uma certa instituição chamada MST, em frente à catedral construída pelos antepassados, fica pateticamente perfeito. Um povo visto em duas épocas, contrastes de uma mesma civilização.)

— Ficou bom. Obrigado.

(Vincent paga o combinado e dispensa o brasileiro, quer ficar sozinho na Redução, continuar sua viagem ao passado glorioso dos guaranis; o presente destes homens não o interessa tanto. Pelo menos, não tem a ver com seus estudos.)

3

Pousada Sepé Tiaraju

— *Hello, Lou.*

— *Bonjour, chéri.*

(O holandês retorna à pousada, a poucos metros das ruínas, e encontra Louise preparando o café. A canadense oferece uma xícara, que ele toma em pé, ao lado da mesa.)

— *So, chéri, did you say goodbye to your phantoms?*

— *Yes and no. Several of them will stay here, but others go with me.*

(Havia chegado a hora de partir. Vincent se despede da garota com um abraço e um beijo carinhoso. Sente que por baixo da camiseta não há um sutiã, mas dois seios rígidos. Que se tornam mais rígidos com o abraço. Quase aço. Ficam assim, algum tempo, e depois se desgrudam, as mãos sendo as últimas partes dos corpos a se soltarem.)

"É sempre assim, ela sabe; eu também sei. Despedidas são sempre assim. Desde sempre. Pra sempre."

(Ele vai ao quarto e volta com a mochila cargueira nas costas. Traz a mochila pequena em uma das mãos e a garrafa de água na outra. Ainda ficam parados alguns minutos, feito assim, meio sem jeito, um de frente para o outro. É o jeito. Ele atira um beijo e dá as costas. Ela o acompanha até a porta, deseja boa sorte e fica olhando o rapaz pegar a estrada.)

— *See you later, Lou.*

— *Yes. In heaven.*

— *Maybe in hell.*

(Ele grita, sem virar-se, seguindo pela rua de calçamento irregular que o levará à rodoviária; aqui e ali ultrapassado por caminhões pesados.)

"Deixar Louise pra trás foi ruim, mas caminhar sozinho, só eu e as mochilas, é bom. Talvez a melhor parte. Me sinto leve. Se quisesse, poderia voar. Não deveria ser assim, mas é. Isto sempre é muito estranho. Às vezes, dá vontade de desistir de todas as promessas e transgredir algumas regras; mas não seria justo."

— *Adiós, chica. Hasta el infierno.*

"Não, essa possibilidade está fora de questão. Um anjo como esse jamais iria pro inferno. Eu pode até ser, ele não."

— *Prego.*

(Louise está distraída, nem vê a moça chegar.)

— *Do you speak Spanish?*

— *Un poquito.*

— *Mi nombre es Dulce, deseo hablar con el gerente.*

— *La oficina se queda en la primera puerta a izquierda.*

— *Grazie.*

4

Planalto Central

— Que coisa, mamãe.

— É o verão, meu filho.

(A tarde abafada anuncia chuva. A paisagem ressequida do cerrado perdera a cor, a seca se prolonga além do normal. Dona Cândida olha pela janela do carro, está impressionada com a grama nos canteiros da avenida. O cenário é velho, mas a surpresa se renova a cada troca de estação.)

"Nunca vou me acostumar com Brasília, por mais que viva aqui. É a sina, é a sina; como dizia vovó. E sina, cada um tem a sua. A minha foi seguir o marido. Agora, a esta altura da vida, fazer o quê? Voltar pra Cruz Alta? Não. A família também se espalhou pelo Brasil, são poucos os que permaneceram no Sul. Os mais velhos, aqueles cheios de histórias, já morreram. Melhor ficar sossegada no meu canto, levar o que me resta de vida aqui mesmo, neste planalto corroído pela seca. Eu e meus comprimidos. Pelo menos, tenho o Victor."

(Ela espera que chova, como todos, mas, ao contrário deles, que seja um pouco mais tarde, só depois de o avião planar sobre as nuvens.)

— Está chamando o seu voo, meu filho.

— Bem, tá na hora.

— Boa viagem.

— Obrigado, mamãe.

— Me ligue assim que chegar.

— Ligarei.

5

Parque Nacional das Cataratas do Iguaçu

— Alô.

— Alô, mamãe.

— Até que enfim chegaram. Você está bem?

— Sim, correu tudo bem. Trocamos de avião em Curitiba, agora tô no hotel.

— É bom?

— Fica dentro do parque, bem em frente às cataratas. E, pelo que o guia nos contou, o lugar deve ser bonito. Como tá por aí?

— A chuva ainda não veio, o céu permanece cinza, é temporal na certa.

— Melhor a senhora ficar em casa.

— Vou sair apenas pra ir ao bingo com sua madrinha.

6

Cataratas do Iguaçu

— Bem, aqui estou. E agora?

(Victor decide espichar as pernas, tirar a pressão dos ouvidos, provocada pela cabine pressurizada do avião.)

"Nunca vou me acostumar. Talvez fosse melhor nem ter vindo. Mas precisava dar o troco a Marta. Ah, precisava mesmo!"

(O hotel fica em meio a um bosque florido, o perfume enche os pátios. Há uma aragem, o sol brilha. Não está quente, mas o colarinho apertado atrai o calor. Ele afrouxa o nó da gravata, mas logo se arrepende.)

"Tô a passeio, mas não preciso me vestir como um candango."

(Com uma das mãos, num gesto rápido, volta a apertá-lo; é automático. Levanta o queixo e continua, meio assim. Atravessa a rua e vai observar as cachoeiras; há um pequeno belvedere. Aproximar-se da amurada o deixaria com vertigens. E já bastam os pesadelos!)

"Não imaginava que fosse tão bonito, mas dá medo. Aliás, não imaginava nada."

— Não imaginava mesmo.

(Alguém se aproxima, ele se cala.)

"Que bela moça. Não dá pra não observá-la. Em detalhes. E que detalhes!"

(Ela veste uma calça folgada, cheia de bolsos e zíperes. Marrom, tem listras irregulares, uma espécie de camuflagem sutil.)

"Não imaginava um tecido militar usado neste tipo de roupa."

(Ela usa uma camiseta branca, sem manga, colada ao corpo. O perfil delgado insinua uma altura que ela não tem. Pelo menos, não é mais alta do que ele. Os cabelos, loiros e levemente crespos, embora curtos, cedem ao vento. Quando ela abaixa a cabeça para descer o degrau do belvedere, as pontas se cruzam embaixo do queixo, emoldurando um rosto bem delineado, realçando os olhos verdes.)

"Que gata!"

(O andar leve dissimula o peso da bota. Por algum motivo, sorri. Carrega uma pequena mochila e tem, a tiracolo, uma máquina fotográfica compacta com uma teleobjetiva acoplada. Na mão esquerda, uma garrafa de água mineral. Tira fotos, de diversos ângulos. Examina cada uma delas no visor da câmera. Algumas são apagadas e tiradas de novo. Após um bom tempo, satisfeita, antes de deixar o belvedere, resolve fotografar-se com as quedas-d'água ao fundo. Pretendia colocar a câmera no pequeno tripé, mas nem foi preciso. Nota a presença de Victor e pede ajuda.)

— *Could you take my picture, please*?

(Fala com naturalidade, como se ele fosse um velho colega de viagem. Mas é uma naturalidade estranha, serve mais para mantê-lo afastado do que criar algum tipo de intimidade.)

"Mas!..."

(Sem conseguir disfarçar o embaraço, pois a olhava com a sensação de que ela não o havia notado, Victor larga o cigarro no chão e pega a câmera. Antes de posar em frente à amurada, na posição anteriormente escolhida, ela se abaixa, pega a bagana e a joga em uma lixeira, ali mesmo.)

"Droga."

(Ele espera a reprimenda, que não vem. Ela nem olha para ele. Isso o deixa mais perturbado. Gostaria de dizer alguma coisa, mas seu inglês não é de confiança; talvez complicasse a situação, que já é constrangedora. Para ele, pelo menos. Para ela, parece tudo sem importância. Ele, em especial.)

"Muito dona de si pro meu gosto."

(A moça se coloca de perfil, vira o rosto para o lado, de forma que a foto mostre-a olhando para a cachoeira, e ordena:)

— *Please, I'm ready.*

(Ele tira a fotografia, ela pede que bata outra, e mais outra; diversas. Todas no mesmo ângulo.)

"Será que não confia no fotógrafo? Tá pensando o quê?"

(Ela sorri, mas não é para ele, é para a câmera.)

"É linda. Estará hospedada no resort? *Data venia*, não é do tipo que tenha dinheiro pra um cinco estrelas. Deve estar num hotel barato, na cidade. Poderia convidá-la pra jantar, ela se impressionaria."

(A moça pega a câmera e agradece a gentileza.)

"Lá se vai. Apesar dos coturnos, tão graciosa como havia chegado. Que coisa."

(Nas costas da camiseta está escrito, em letras verdes enormes, *Greenpeace*.)

"Já li esta palavra, mas não lembro onde. Talvez seja o nome de alguma universidade americana. Esse pessoal usa essas coisas."

(Ela desaparece.)

"Bem, então é isso: a gringa é americana. O país tá cheio de gringos americanos, ela é mais uma. Deve ter os bolsos apinhados de dólares, por isso estão fechados com zíperes, mesmo assim se hospeda num hotel de segunda categoria e usa essas botas ridículas. Pelo jeito, viaja sozinha. Eu devia pelo menos ter dito *hello*, assim ela não pensaria que sou mudo. Não, é claro que ela não iria pensar que sou mudo. Que bobagem! Também, que diferença faria? Ela não iria me dar, mesmo. Que se vá, nem gosto de bicho-grilo, e ela tem um jeito meio estranho."

— Sei não. Aquelas botas...

(Está assim, murmurando, quando se vê abordado por um casal. O sujeito passa a câmera e dá a entender que desejam ser fotografados em frente à cachoeira.)

(Foto tirada, dão-se por satisfeitos e se vão.)

— Você nem agradeceu.

— Nem adiantaria, esses gringos babacas não entendem português.

"Gringo, eu? Babaca? Gringo babaca! Era tudo que eu precisava ouvir, ah era. Não devia ter sacado a foto. Fui ser gentil. Que gentinha! Ela tem cara de puta. Vai que o caipira a tirou da zona. Tem disso, no interior tem disso. E agora estão aqui, passeando de mãos dadas, com aquela câmera fotográfica de filme. Deve ser a última no planeta."

— Gringo. Eu, hein? Que se danem!

(Olha para os lados. Por sorte, não há mais ninguém na plataforma. Essa mania de falar sozinho às vezes o deixa constrangido. Dessa vez, pelo menos, não foi o caso. Odeia o cacoete, mas não consegue se livrar. Basta perder a paciência e ele surge, teimoso!)

— Deixa pra lá.

(Lá embaixo, uma lancha inflável enfrenta a fúria da correnteza. Repleta de turistas, ela sobe o rio Iguaçu aproximando-se do paredão de águas espumantes que despencam lá de cima. A muito custo, mantendo-se na superfície graças aos potentes motores, o barquinho passa embaixo do salto e todos se molham. Apesar do risco, o pessoal parece gostar.)

— É não ter o que fazer.

(Victor acende um cigarro e volta ao hotel.)

"É bom fumar assim, ao ar livre; sem mamãe controlando."

7

Agência de Viagens New Wonder

— Alô.

— Alô, mamãe.

— Oi, meu filho! Tudo bem?

— Tudo bem. Olha, tô ligando pra avisar que não voltarei com o grupo amanhã.

— O que aconteceu? Você está bem?

— Sim, tô bem. Mas estive pensando uma coisa.

— O quê? Não vá inventar moda. Vem pra casa. Três dias vagando por aí é mais do que suficiente. Aliás, nem deveria ter ido. Não sei como concordei com essa loucura. E se te chamam amanhã?

— Não vão me chamar amanhã, não. Vai demorar um mês, algo assim. Então, pensei em viajar até Assunção, já que estou aqui.

— Fazer o quê naquele fim de mundo?

— Seria importante fazer uma viagem ao exterior antes de assumir.

— Você já fez. Não passou pro lado paraguaio?

— A polícia nem carimbou meu passaporte. Reclamei com o guia da excursão, mas ele disse que é assim mesmo.

— São uns folgados.

— Mamãe, preciso ter pelo menos um carimbo no meu passaporte.

— Mas logo o Paraguai?

— Bem, é uma viagem ao exterior, isso é o que importa.

— Não vejo sentido em fazer uma viagem ao Paraguai.

— É uma viagem ao exterior. Se me perguntam, posso dizer que sim, já viajei ao exterior, essas coisas. E não preciso ficar anunciando por aí que foi o Paraguai, né?

— Como você vai?

— Aqui mesmo, no hotel, há uma agência de viagens. Eles vendem a passagem aérea, reservam o hotel, fazem tudo. Saio até com os passeios definidos. Não há riscos nem preciso me preocupar. Volto de lá direto pra Brasília.

— Você não tem roupa suficiente.

— Há um shopping na cidade, o pessoal me disse, lá posso comprar roupas.

— Compra outra mala. Não soca tudo nestas duas, vai amarrotar.

— Farei isso.

— Ainda não estou convencida. Assunção... Meu Deus do céu. Onde você vai se meter.

— Olha, meu celular de cartão não funciona no exterior, então não adianta ficar me ligando. Espera que eu ligue.

8

Lago Ypacaraí — Paraguay

— *Llegamos.*

— *Ciudad chica.*

(O Ferrocarril de Asunción, puxado por uma locomotiva movida a lenha, fumaça e barulho, deixa os turistas em Areguá, onde um velho ônibus os espera. São recebidos pelo guia de turismo e seu largo sorriso. O paraguaio abre os braços, como se fosse possível envolver os gringos num grande abraço. Não pode, são mais de vinte, mas devem ter notado a intenção. É o que importa. De início, o mestiço já pensa na gorjeta no fim da excursão. Euros. Um euro compra uma infinidade de *guaranies.*)

"Talvez eu dobre o salário hoje, vamos ver."

— *Aipotá reju'hu mboray hú há po'a.*

— Guarani?

— Sim, guarani.

— O que significa?

— Quero que encontrem carinho e sorte.

(O ônibus é trocado pelo barco. O antigo vapor desliza pelas águas na manhã ensolarada. Enquanto se deslocam, o guia fala sem parar, dando longas explicações em espanhol e depois repetindo em inglês, com menos informações.)

— Por fim, Ypacaraí significa Lago do Senhor, na língua guarani. Agora, aproveitem o passeio.

(O grupo se espalha, a maioria desce para o convés. Alguns se aventuram na amurada e ficam apreciando as águas. Uma canoa chama a atenção de Victor.)

— O que estão fazendo?

— Pescando.

— A canoa tá cheia d'água.

— Está furada, por isso precisam ficar tirando a água com os baldes; senão ela afunda.

— Por que saem numa canoa furada?

— São pescadores muito pobres, não têm canoa, então eles alugam.

— Alugam uma canoa furada?

— Sai mais barato.

— É, faz sentido.

(Victor está com o olhar no horizonte, impressionado com o aguaçal; água em abundância sempre o impressiona.)

— *It's amazing!*

— Oi?

(Surpreendido pela observação, não sabe o que dizer; nem em que língua falar. Começa a pensar em uma frase, uma frase simples, que pudesse mentalmente traduzir para o inglês e responder ao gringo. O cara deve ter percebido, pois repetiu a observação em espanhol.)

— *Muy lindo.*

— Ah, sim.

— Brasileiro?

— Sim.

— Tudo bem?

— Mais ou menos.

— Que bom encontrar um brasileiro, assim pratico meu português.

— Seu sotaque é estranho.

— Meu nome é Vincent.

— Victor.

— Prazer.

— Americano?

— Holandês.

— Onde aprendeu a falar português?

— Ah, é uma longa história.

— Imagino, pois não havia encontrado ninguém que falasse português nessa viagem.

— Está viajando há tempo?

— Gosto de viajar pelo exterior.

— Bem, eu saí de casa há três meses. Fui pro Sul do Brasil, conhecer lugares que me interessam.

— Há holandeses no Sul do Brasil?

— Não. Pelo que pude notar, há poloneses, mas holandeses não. Mas fui por outro motivo.

— Estudar português?

— Estou me doutorando em Literatura Brasileira na Universidade de Amsterdã e minha tese é sobre a obra de um escritor brasileiro, Érico Veríssimo.

— Érico Veríssimo? Li um livro dele na época do vestibular.

— *O tempo e o vento.*

— Esse! O general serviu na cidade onde ele nasceu, mas não gostava dele.

— General?

— Meu pai. Ele serviu em Cruz Alta, conheceu minha mãe por lá.

— Você morou em Cruz Alta?

— Não. Quando nasci, o general estava em Brasília. Ele adorava o tal Érico Veríssimo, mas depois o escritor virou a casaca. Então, só lembro isso, que Érico Veríssimo havia mudado de lado e passara a escrever livros contra o governo.

— Que tipo de livro?

— Pô, cara, não lembro. Mas por que o interesse por esse livro?

— Meu orientador sugeriu alguns livros, e escolhi este. Foi por causa das Missões Jesuíticas. Me interessa a sociedade criada pelos jesuítas, aqui nos trópicos. Depois me encantei com o livro, a ponto de ir conhecer os lugares onde as histórias se passaram.

— Encontrou?

— As pessoas de lá sabem pouco, me deram informações desencontradas. Pelo menos as ruínas das antigas Missões eu pude conhecer. Visitei também as Missões na Argentina e, na semana passada, o que restou no Paraguai.

— O que leva alguém da Europa a se interessar por um escritor brasileiro?

— A boa literatura.

— Não sou de ler romances. Tenho pouco tempo, prefiro os livros técnicos. Mesmo assim, não leio muito.

— Ao ler um livro técnico, você está investindo na sua carreira; ao ler um romance, você está investindo em você, na sua vida, tornando-a mais rica.

— Os livros são muito chatos.

— A maioria é mesmo, você tem razão. Mas quando o livro é bom, e você se convence de que a história faz sentido, você se esquece de si mesmo e passa a vivenciar as peripécias dos personagens. O seu mundo se amplia, acaba a chatice.

— Mas é tudo ficção, invenção do autor.

— Ficção, sim; invenção do autor, não.

— Qual a diferença?

— A boa ficção relata algo que poderia ter acontecido. Assim, ao vivenciar a história contada no livro, você expande os seus limites, ampliando sua experiência de vida.

— É fugir da realidade.

— Não. É levá-la a uma maior compreensão. A boa literatura induz o leitor a uma reflexão sobre si mesmo, em particular, e sobre a natureza humana, de forma geral, questionando-nos sobre nossas possibilidades e nossos limites. O livro estabelece a relação do leitor com o mundo. Ler grandes autores é investigar nossa condição humana. E, quando estes autores são de uma cultura diferente da nossa, melhor.

— Você é mesmo ligado nesse troço.

— Estou me doutorando em literatura.

(Victor não se enturmara com os turistas, a maioria casais alemães, mas simpatizou com Vincent. O gringo, que viaja por conta própria, para melhor conhecer os moradores locais, está feliz com o novo amigo.)

— Vamos ao convés inferior, lá tem um bar, podemos tomar uma *caña*.

— Prefiro uma cerveja.

— Cerveja tem na Holanda, e das boas.

— E daí?

— Daí que gosto de tomar bebidas locais. Viajo por isso, pelo diferente; busco as coisas típicas de cada lugar.

(Na hora do almoço, Vincent prova alguns quitutes; o brasileiro prefere um sanduíche de queijo.)

— Tive um amigo na infância que morreu num lago, parecido com este, só que bem menor. Eu tinha dez anos, ele nove. Durante um bom tempo os pais dele me responsabilizaram Eu era o mais velho, sabe como é.

— Pôr a culpa em alguém ajuda a aceitar a tragédia.

— Estávamos nadando, e ele se afogou. Fazíamos isso todas as tardes. Brasília tem um clima seco, e o lago foi construído pra amenizar o problema. Nos dias quentes é a diversão da garotada. Quando dei por conta da ausência dele, era tarde demais. O corpo só foi encontrado no dia seguinte.

— Deve ter sido difícil pra você.

— Éramos amigos. Além disso, os pais dele me culparam.

— E os seus pais?

— O general nunca tocou no assunto; ele não era dado a conversas. Trabalhava no governo, no Gabinete de Segurança da Presidência da República, e quase não o víamos em casa. Mamãe me apoiou, claro. Ela nunca mais falou com os pais do Biteco. E isto que éramos vizinhos.

— Não são mais?

— Não. Quando o general morreu nos mudamos pra um apartamento na cidade. A casa era muito grande, uma mansão; não tínhamos como mantê-la.

— Mas seu pai era um graúdo, trabalhava no governo...

— Mamãe vive dizendo que milicos são graúdos enquanto protegem os poderosos. Aí, sim, têm aquelas mordomias todas.

— Deve ter sido mesmo difícil pra você.

— Passei a brincar sozinho e nunca mais nadei no lago nem andei de barco.

— Então hoje você quebrou dois tabus.

— Navegar, sim. Entrei no tour porque nada tinha pra fazer em Assunção. Na verdade, eu queria ver o que iria sentir, se sentiria medo, essas coisas.

— Sentiu medo?

— Não, não senti nada. Incrível, mas não senti nada. Nem medo nem coisa nenhuma. Mas andar em grupos ainda não gosto.

— É bom conhecer outras pessoas.

(A conversa é interrompida pelo guia.)

— Vamos lá, ver a lojinha de artesanato, no outro convés.

— Vamos lá, Victor. Hora de comprar suvenires pra família.

9

Asunción

— Alô.

— Alô, mamãe.

— Ah, meu filho, tenho estado tão preocupada. Onde você está?

— No hotel.

— Tudo bem contigo?

— Sim. Mas liguei pra contar uma novidade boa.

— Vai antecipar a volta?

— Não, nada disso. Esta manhã, durante um passeio de barco, conheci um cara de Amsterdã, e ficamos amigos.

— Um passeio de barco? Você está passeando de barco no Paraguai? Ai, meu Deus. Se teu pai fosse vivo teria outro infarto.

— Um navio cheio de turistas. Conheci o holandês nesse barco, ele tá viajando pelo mundo.

— Não cria intimidade, essa gente sem eira nem beira, que viaja pra lá e pra cá, igual cigano, não é confiável.

— Mas esse cara é legal.

— Abre os olhos com esses tipos. Não diz o nome do hotel, não fala em dinheiro, não mostra o passaporte; nada disso.

— Ele tá estudando um escritor brasileiro, a viagem é de estudos.

— E você acreditou? Ora, meu filho, você é ingênuo! E algum holandês vai lá se interessar em aprender alguma coisa com um escritor brasileiro?

— Mas é sério. Olha, conversamos muito, ele fala português. Quem sabe ele não me convida pra visitá-lo em Amsterdã?

— Ah, meu filho, pare de sonhar. O máximo que esse sujeito pode fazer é te convidar pra visitar a Bolívia.

— Ai, para com isso, mamãe. Bolívia, eu, hein?

— Bem, depois do Paraguai, só me falta você ir pra Bolívia.

10

The United Nations Refugee Camp — Kenya

— *Lala salama.*

— *Lala salama.*

(Após se despedir do segurança, ela acende o bico de luz dependurado no teto, na ponta de um fio desencapado, envolto em teias de aranha. A luminosidade mal consegue infiltrar-se no quarto. A súbita claridade, mesmo que tênue, e o ranger dos passos sobre o piso encardido amedrontam os insetos, que voltam aos seus esconderijos.)

"Melhor estender uma cobertura de náilon sobre a cama; assim, meu saco de dormir não entrará em contato com esses lençóis."

(Ela desliga a lâmpada, e a harmonia volta a reinar no pequeno mundo, cada um no seu lugar: insetos para um lado, médica para o outro.)

"Estivesse em Amsterdã, não conseguiria. Mas aqui, em meio à crueldade humana, à miséria e ao desespero, dormir nestas condições significa apenas dormir, descansar de um dia extenuante. Como podem ser assim? Mesmo entre eles? Quanto ódio! E sempre há alguém pra alimentar a carnificina, fornecendo armas modernas pros dois lados em conflito. Incrível haver pessoas que empregam sua inteligência pra montar intrincadas engenharias financeiras pra que os governos possam comprá-las. Tudo para os fabricantes e investidores ficarem mais ricos e os banqueiros ganharem comissões. Pobre África. Berço e cemitério da Humanidade."

(Os fardos que os aviões da ONU lançaram de paraquedas sobre o acampamento de refugiados foram saqueados pelos guardas antes mesmo de chegar ao centro de distribuição. E, o pior: com os remédios junto. Amanhã ela terá que percorrer as centenas de barracas pedindo que devolvam os medicamentos.)

"E pensar que estou aqui como voluntária!"

11

Palacio del Gobierno

— *Muy lindo.*

— *Sí.*

(O grupo, reunido em volta do rapaz, ouve com atenção. Faz calor, e a sombrinha colorida, além de servir de orientação aos turistas, o protege do sol. O guia de turismo conta, nos mínimos detalhes, a história do prédio.)

— O palácio foi construído pra ser a residência oficial do general Francisco Solano Lopes, então presidente do Paraguai. Após a guerra da Tríplice Aliança, ficou abandonado. O presidente Juan Gonzáles mandou restaurá-lo pra sediar o governo nacional.

— Tudo bem, Victor?

— Ah, é você. Os holandeses costumam aparecer assim, de surpresa?

— O país é pequeno, os turistas acabam se encontrando. Meu hostal fica perto, e quando não tenho nada pra fazer venho admirar o palácio. Gosto de ficar imaginando as histórias que aconteceram nesta praça, recriar o passado. Mania boba, mas gosto. Quem sabe, quando eu morrer, alguém não vai se lembrar de mim assim, um fantasma vagando pelos lugares que gosto de visitar?

— O guia disse que é o palácio de governo mais bonito da América espanhola.

— Não acredite muito nos guias de turismo. A metade do que eles despejam sobre nós nunca mais lembraremos e a outra metade são histórias que não nos interessam. O importante eles omitem. Esse aí falou da época em que o ditador mandava matar quem se aproximasse do palácio sem autorização?

— Não.

— Viu só?

— Também, isso ele não iria dizer!

— Vamos andar um pouco. No caminho, te mostro o prédio mais antigo da cidade.

— Ah, não posso me afastar do grupo, acabo me perdendo.

— Ninguém se perde em Assunção. Avisa o guia que você decidiu voltar sozinho, e vamos dar uma caminhada. Depois tomamos um *tereré*.

— Prefiro uma cerveja.

— Sei. Conheço um lugar onde podemos tomar uma cerveja

— E como volto ao hotel?

— Caminhando.

— Pode ser longe.

— Aqui nada é longe.

— Tô neste hotel, ó. Peguei o cartão pra não me perder. Foi a agência que escolheu. Você sabe chegar lá?

— Você está no melhor hotel da cidade. O mais luxuoso, pelo menos.

— Tá brincando? Nem é grande coisa.

— Pode não ser grande coisa pra você, acostumado com os palácios de Brasília. O mundo real é um pouco diferente.

— Vou avisar o guia.

12

Casco Viejo

— Você conhece toda a cidade?

— Só o Centro Histórico.

(O bar, no calçadão em frente à Plaza de los Héroes, está com as mesinhas de mármore lotadas. Victor e o holandês se recostam no balcão, pedem uma cerveja, e ficam curtindo o movimento.)

— E a história sobre ninguém se aproximar do palácio do governo?

— O ditador Francia, que governou o país após a independência da Espanha, impôs um regime de terror, no qual seus opositores eram assassinados. Conhecido por El Supremo, obrigava seus cozinheiros a provarem a comida e a bebida pra ver se não estavam envenenadas. Ninguém podia se aproximar menos de seis passos, as ruas por onde sua carruagem passava eram evacuadas e ele dormia cada noite num local diferente.

— *Dura lex sed lex.*

— Há um livro maravilhoso, *Eu, o Supremo*, escrito por Augusto Roa Bastos, ridicularizando essa paranoia. Roa Bastos se inspirou nele, mas o capuz serve pra maioria dos ditadores.

(Enfim, uma mesa vazia. Sentam-se.)

— A Holanda deve ser um país bonito, né? Quando você regressa?

— Meu voo sai de Lima em três semanas.

— Lima? Pensei que fosse São Paulo.

— Cheguei por São Paulo, mas volto por Lima. De São Paulo a Lima estou indo de ônibus. Assim, conheço os três lugares mais interessantes da América do Sul: a região das Missões, as cataratas do Iguaçu e Machu Picchu.

— Não me diga que você vai de ônibus até Lima!

— Há um ônibus de Assunção a Santa Cruz de la Sierra, na Bolívia, que passa pelo Chaco, região que me interessa conhecer. Pelo menos cruzar; ela é considerada a última fronteira da América do Sul.

— Quanto tempo até lá?

— Se o ônibus não quebrar, umas vinte horas.

— Vinte horas sentado num banco de ônibus?!

— A gente se distrai, e o tempo acaba passando.

— Se distrai com o quê, dentro de um ônibus velho sacudindo estrada afora?

— Com a paisagem, com as pessoas, lendo. Tudo é novidade. De Santa Cruz, vou a La Paz e de lá sigo pra Lima, passando pelo lago Titicaca, Qosq'o e Machu Picchu.

— Você não tem medo de ser assaltado?

— Não carrego nada de valor, não tem por que me assaltarem.

— Você é mais pirado do que eu imaginava. Minha velha tem razão.

— Que razão?

— Nada. Só lembrei que preciso telefonar, ainda não fiz isso hoje.

— Você telefona todos os dias?

— Sim.

— Isto não é bom. Se algum dia, por um motivo qualquer, você não conseguir telefonar, ela vai enlouquecer.

— Ah, vai mesmo.

— E você, daqui volta pro Brasil?

— Fiz um concurso público, tô esperando ser chamado, o que pode acontecer a qualquer momento.

— Se você tivesse tempo, poderíamos viajar juntos, pelo menos até La Paz.

— Ir pra Bolívia? Você tá maluco?

— Você não disse que gosta de viajar pelo exterior?

— Sim, mas pra Bolívia! Nada a ver, né? Se fosse pra Holanda...

— Gostaria de conhecer a Holanda?

— Ah, aí é diferente!

— Bem, quando você for, pode ficar na minha casa; Anne vai gostar de conhecer um brasileiro, falo tanto em vocês!

— Você é casado?

— Moramos juntos há cinco anos.

— E você sai assim, pelo mundo, e deixa a mulher em casa? O que ela acha disso?

— Bem, no momento ela está na África.

— África?

— Sim. Ela é pediatra, está numa equipe dos Médicos Sem Fronteiras, no Quênia.

— Se minha mãe sabe disso!

13

Plaza Hotel — Suite Junior

— Alô.

— Alô, mamãe!

— Ah, até que enfim. Estava agoniada.

— Agoniada? O que aconteceu?

— O que aconteceu? É quase meia-noite, e você ainda não havia ligado.

— Bem, já que tocou no assunto, estive pensando e acho melhor combinarmos eu ligar a cada dois dias.

— Por quê?

— As ligações são difíceis. Tem dias em que o país fica isolado do mundo. Sabe como é, né? O Paraguai é assim.

— Imagino!

— Então, se eu não ligar, fica tranquila, tá? É porque não foi possível completar a ligação.

— Está bem, mas vou ficar aflita assim mesmo.

— Tenho uma boa notícia. Sabe aquele holandês que falei? Pois ele me convidou pra visitá-lo. E posso ficar hospedado na casa dele, em Amsterdã.

— De graça?

— Acho que sim, né? A casa dele não é hotel. Moram ele e a esposa, e posso ficar lá com eles por alguns dias. Bem, se eu não ligar amanhã, não se preocupe. É porque não consegui completar a chamada.

14

Plaza Hotel — Cafetería

— *Don Victor, visita para el señor.*

— *Gracias.*

(Ele encontra Vincent no saguão. Levantou o mais cedo possível, mas não o suficiente.)

"Mais uma vez atrasado, meu chapa. Não adianta, levantar cedo me deixa mal-humorado, impossível acostumar. Por mais que tente. Se bem que nem tenho mais tentado. Espero que no Congresso não precise madrugar. A noite sempre é mais interessante, não tem por que encurtá-la; pior ainda se for pra trabalhar."

(Ele havia convidado o gringo para o café da manhã; quer impressionar o holandês com o luxo do hotel.)

"A diária é cara, pra alguma coisa deve servir. Vincent precisa saber que posso ficar na casa dele sem problemas; não tá convidando um mestiço."

(Vincent quer praticar português, e Victor gostaria de conversar sobre a futura viagem para a Holanda.)

— As garotas devem adorar sua bermuda desbotada. Tá na moda em Amsterdã?

— Não, mas é confortável.

— Cara, por falar em garotas, conheci uma em Foz do Iguaçu, a mulher mais bonita que vi em toda a minha vida.

— Inteligente?

— Ah, nem me fala. Cara, nem cheguei a conversar com ela. Era americana, falava inglês. Meu inglês é ruim, não me atrevo a conversar com uma mulher dessas falando igual a um índio do Velho Oeste.

— Nem tentou?

— Não. Também, nem tive tempo! Ela pediu pra eu tirar uma foto com as cataratas ao fundo. Tirei a foto, ela agradeceu e sumiu, do jeito que tinha aparecido.

— Acho bom você começar a treinar seu inglês.

— É muito difícil.

— Nem tanto quanto o português.

— É, imagino. Português deve ser difícil pra caramba. Não sei como você aprendeu.

— Aprendi como todo mundo.

— Como?

— Estudando.

— Pensei nisso. Assim que voltar ao Brasil, vou retomar meu curso de inglês.

— E o espanhol, como está?

— Espanhol é uma barbada, nem precisei estudar. No Brasil, todo mundo fala espanhol.

— Podíamos conversar em espanhol, assim praticaríamos mais uma língua. Você me ajudou com o português, até peguei o seu sotaque.

— Não, deixa assim. Vamos falar português.

— Se você deseja ganhar as garotas, deve praticar espanhol.

— Não tô interessado nas bugras.

— Você é racista?

— Ei, cara, o que é isso? Claro que não.

— Muitas turistas falam espanhol. No meu hostal está hospedada uma italiana linda. Aliás, lindíssima. Pelo jeito, parecida com essa que você encontrou em Foz do Iguaçu, e ela fala espanhol.

— Essa me serve. Como ela é?

— Muito independente. Está no dormitório feminino, mas, como os banheiros são comuns, às vezes a vejo sair enrolada numa toalha. Uma noite cheguei tarde e, ao entrar no banheiro, ela estava saindo nua. Fazia calor, e acho que não imaginou que fosse encontrar alguém acordado àquela hora da madrugada.

— Transou com ela?

— Como assim?

— Transar, fazer amor.

— Ah! Não, não vou sair da Holanda pra... *transar* com uma italiana. Ao contrário de você, se surgir uma oportunidade, prefiro que seja uma... como você diz?

— Bugra.

— Isso, bugra.

— Deixa as bugras pra lá. Vamos falar de Amsterdã.

— Te interessa algum museu? Temos os melhores da Europa. O do Van Gogh, por exemplo

— Não, cara, nada de museu. É verdade que os cafés vendem maconha, assim, numa boa, sem mais nem menos? É só chegar, comprar e você pode fumar um baseado ali mesmo?

— É verdade.

— Imagina. Se minha mãe sabe disso, me proíbe de visitá-lo.

— Você não é obrigado a fumar maconha só porque está à venda nos cafés.

— Sei, sei. Me conta: como funciona mesmo?

— Existem dois tipos de cafés: os chamados *cafés* são bares comuns, pubs; os *coffee shops* são cafés autorizados a vender maconha. Mas você não pode levar pra casa, precisa fumar lá. O estranho é que se pode fumar maconha nesses cafés, mas não se pode fumar tabaco, proibido em todos os lugares fechados.

— Ah, é? País estranho o seu.

— Foi uma forma encontrada pelo governo pra separar o direito que as pessoas têm, inclusive de fumar maconha, da violência provocada pelo tráfico. Comércio legalizado, não há traficante.

— Você conhece esses cafés?

— Sim.

— Vai muito lá?

— Quando era mais novo, até ia, vez que outra. Agora não vou mais.

— Por quê?

— Olha, por nada, mas existem algumas teorias de que a maconha, quando usada continuamente, prejudica o cérebro. Então, não vale a pena arriscar o que tenho de mais precioso em troca de ficar com cara de bobo durante algumas horas. Existem outras formas de se expandir a consciência.

— Quais?

— Um bom livro.

— Ih, lá vem você com seus livros.

— É só uma sugestão, né?

— Né?

— Eu falei né?

— Falou.

— Viu? Já estou falando como você!

— Vou considerar isso um elogio.

(Riem.)

— Você me levaria pra conhecer um lugar desses?

— Pra você fumar?

— Ah, isso a gente decide na hora. Mas, mesmo que não fume, pelo menos posso contar aos meus amigos que estive num lugar assim. Eles nem vão acreditar!

— Você tem amigos? Até agora você me pareceu um cara meio sozinho.

— Amigo, amigo não tenho. Tenho alguns parceiros, uma galera com quem saio de vez em quando. Tem outra coisa que também ouvi falar: é verdade que as mulheres ficam nas vitrines? É só você parar na calçada, olhar, escolher uma e transar?

— Há um bairro no centro, cheio de ruelas, onde as vitrines estão uma ao lado da outra, centenas delas, com as mulheres dentro, quase nuas.

— Não estão nuas?

— Não, não podem ficar nuas. São ruas públicas, todo mundo passa ali. Ficam de biquíni, shortinhos; roupas provocantes.

— Faz sentido. E como funciona?

— Você para em frente às vitrinas, olha, olha; escolhe uma, bate na porta, ela abre, você entra, ela fecha a cortina e vocês transam. Foi a maneira encontrada pelo governo pra tirar a prostituição da rua, acabar com os cafetões e a corrupção policial. Elas têm sindicato, assistência médica e jurídica. E os turistas adoram.

— Você não gosta?

— Não.

— Não gosta de mulher?

— De mulher sim, de prostituta não. Olha, quando se é adolescente e a única necessidade é ejacular, tudo bem. Mas, depois de certa idade, você espera do sexo mais do que vinte minutos com uma mulher que nunca viu antes, talvez nunca mais a veja, muitas nem falam a sua língua, e que no instante seguinte vai transar com outro desconhecido.

— Você espera muito do sexo.

— Só acho que deve existir um mínimo de afeto.

— Amor?

— Não necessariamente. Se houver, melhor, claro. Mas, nesse caso, pelo menos uma intimidade prévia, sei lá. Algo assim. Só não dá pra chegar, transar e ir embora, como se nada tivesse acontecido.

— Mas o programa dura só vinte minutos?

— Sim.

— E quanto custa?

— Entre trinta e cinquenta euros, dependendo da beleza da mulher.

— Não é caro.

— Pelo lado financeiro, não, mas você sai de uma relação dessas com um vazio no peito. Depois da euforia, fica a frustração, e essa dura bem mais do que vinte minutos.

— Você pensa assim?

— Penso. E pode ter certeza: você sai de um cubículo desses menor do que entrou.

— Certo, concordo. Mas você me leva pra conhecer as vitrines?

— Sério?

— Ah, cara, só pra dar uma olhadinha.

15

National Geographic Magazine
Washington — United States

— *How are Jimi?*

— *My friend is fine.*

(A redação está deserta, a maioria dos funcionários é *freelancer.*)

— Temos um trabalho pra você. É dos bons, você vai gostar.

— Ótimo, porque da última vez me enviaram pro jardim zoológico.

— A África não é um jardim zoológico.

— Lá nas grotas não, mas a planície do Serengeti, por favor!

— Preciso que você fotografe uma expedição ao cerro Aconcágua, na Argentina.

— Montanha é o meu chão, você sabe.

— É uma expedição científica, pra verificar o derretimento da camada de gelo que cobre a montanha. Os alpinistas vão refazer a rota de uma expedição realizada há cinquenta anos. Você vai levar as coordenadas e fotografar dos mesmos pontos. Vamos fazer a reportagem baseados no seu trabalho.

— Quando parto?

— Hoje à noite.

16

Plaza Hotel — Sauna

— Tá liberada?

— *Sí.*

(Victor entra.)

"Tá quente, caramba! Estranho ficar aqui, sozinho. Vai ser bom, preciso dar uma relaxada. O sapato novo me machucou o pé. Também pudera, nunca andei assim. Espero voltar logo, assumir meu cargo. Batalhei muito, mereço o emprego. Ah, mereço mesmo! Arrumar e desarrumar malas não é comigo. E os jogos de futebol com meus amigos, o chopinho nos fins de tarde, os pegas de carro na madrugada? Sinto saudades da camioneta Nunca fiquei tantos dias sem dirigir. E da Marta. Ah, não, da Marta não. Esse é outro problema. Pela última briga, não tenho mais namorada. Aquela cabeça-dura não desistirá do doutorado, por mais que eu me oponha. Quando a mandei escolher, não esperava aquela resposta. Me trocar por uma cidade? Um namoro de três anos jogado fora, assim por nada? Foi o que ela fez. Mas dei o troco. Tenho certeza que a minha viagem também a pegou de jeito; ela nunca imaginou que eu fosse capaz de tal proeza. Tá bem, é o Paraguai; mas também é uma viagem. Com mais risco até. Viajar pra Londres é seguro, primeiro mundo, mas pra este fim de mundo! Ela se arrependerá. Como sempre. Aí vai ser tarde. Dessa vez, vai ser tarde. Caramba, que lugar quente. Vou sair."

17

Hostal El Guarany

— Vida folgada, hein?

— Estudando.

(Vincent está na varanda, estirado na rede. Haviam combinado almoçar na beira do rio Paraguai, ele quer mostrar a Victor a culinária local, que ele vem se negando a provar. Exceto as *parrilladas*, o brasileiro prefere comer no McDonald's ou no restaurante do Plaza.)

— Trouxe um livro pra você melhorar seu vocabulário.

— *A casa dos budas ditosos*. Obrigado. Já havia lido sobre João Ubaldo Ribeiro. Você gostou?

— Pra falar a verdade, não li todo, não. Me indicaram por causa da sacanagem, mas já li coisa mais, digamos, interessante. A meu juízo, você vai gostar, vai deixar seu português mais coloquial. Você fala de maneira muito formal, até parece o velho. Mas ele era gaúcho, e os gaúchos falam como se estivessem lendo.

— Também tenho um presente pra você. *Yo, el Supremo*. Comprei ontem à noite num sebo no calçadão. Pra você praticar espanhol.

— Meu Deus do céu!

— O que foi?

— Não é possível! Não acredito. Não, não acredito no que tô vendo.

— Ah! Ela é linda, não? É a italiana que te falei.

— Italiana? Ela é a americana que encontrei em Foz do Iguaçu, a tal que me pediu pra fotografá-la em frente às cataratas.

— Então você se enganou de nacionalidade, pois ela se chama Dulce e é italiana.

— Mas por que ela falou comigo em inglês?

— Quando se está viajando normalmente o primeiro contato é em inglês. Não se sabe a nacionalidade da pessoa, e inglês qualquer um fala.

— Ela fala espanhol?

— Fala.

— Me apresenta.

— Vamos lá.

(Quando entram, a moça está de saída. A calça cheia de bolsos, as botas e a mochila são as mesmas, só a camiseta havia mudado de cor. Mas continua coladinha ao corpo, realçando os seios.)

— *Dulce, un amigo brasileño.*

— *Buon giorno.*

— *!*

— *Bueno, con el permiso dos caballeros, estoy de salida. Yo me voy a la oficina de autobuses comprar el boleto hasta Santa Cruz. Quiero salir miércoles, temprano. Quieres algo, Vincent?*

— *No, gracias.*

— *Arrivederci.*

— Até logo.

(Victor fica olhando a italiana se afastar.)

"Apesar das botas de milico, ela tem o caminhar mais gracioso que já vi numa mulher."

— É mais bonita que Marta, minha ex-namorada, que já é bonita. Vai a pé até a rodoviária?

— Pelo jeito, sim.
— É longe?
— Um pouco.
— Por que não pega um táxi?
— Ninguém conhece uma cidade andando de táxi.
— Foi ela que você viu nua, saindo do banheiro?
— Foi.
— E que tal?
— Quer mesmo saber?
— Quero.
— Tive uma ereção na hora.
— Ah, esquece. Ela vai mesmo pra Bolívia?
— Vai.
— Não acredito. Não, Bolívia não!
— Bolívia sim.
— Quando ela vai?
— Ela disse. Você não entendeu?
— Não ouvi direito.
— *Miércoles.*
— *Miércoles?*
— Sim.
— *Miércoles* é...
— Quarta-feira.
— Isso, quarta-feira, havia me esquecido. E você, quando vai?
— *Jueves.*
— Não complica.
— Quinta-feira, mas da outra semana.
— Ela vai de ônibus, pelo que entendi.
— Sim. Ficará alguns dias em Santa Cruz e depois segue até La Paz. Conversamos ontem, trocamos informações sobre alguns hostales.

— Que coisa! Pura sacanagem. Vocês estão de complô contra mim.

— Bem, se você quiser vê-la de novo terá que ir pra Bolívia.

— Jamais irei pra Bolívia por causa de uma garota estranha. Imagina: me enfiar num país miserável, cheio de traficantes, policiais corruptos, batedores de carteira. Ainda por cima, governado por um índio!

— Indígena.

— É a mesma coisa.

— Não, não é a mesma coisa. Índio é uma palavra pejorativa; eles preferem ser chamados de indígenas. Todos os povos nativos das Américas preferem ser chamados de indígenas. Você não sabia? Se você chamá-los de índios, vai ofendê-los.

— No Brasil, chamamos de índios.

— Bem, no Brasil não sei.

— E tem as estradas. Já vi fotos dos ônibus e das estradas bolivianas. Nem hotel decente deve ter.

— É um dos países mais bonitos do mundo.

— Ah, corta essa. E se me chamam no emprego, como vão me achar na Bolívia?

— Que tal telefonando?

— Sem chance. Tô fora.

18

Catedral de Asunción

— *Hi, Ted.*

— *Hi, Vincent.*

(Encontram Edward em frente à catedral.)

— *I'd like to introduce you my Brazilian friend, Victor.*

— *Hi, Victor.*

— *Hi, Ted.*

— *Where are you going?*

— *I'm just walking around.*

— *Take nice pictures.*

— *Thank you.*

— Ted é americano.

— Gostei do chapéu dele.

— Ele é todo fashion, hein? Mas fala poucas expressões em espanhol, está passando dificuldades em Assunção.

— Entendi tudo que ele falou.

— É? Bom sinal. Significa que o seu inglês não é assim tão ruim. Se você estudou tantos anos, como me disse, deve ter aprendido alguma coisa. Talvez falte mais fluência, o que é normal.

— É, o que me falta é fluência.

— Quer praticar?

— Não, deixa assim. O que o americano faz aqui?

— Veio da Bolívia, queria cruzar o Chaco. Regressa amanhã.

— Ah, é? Parece que todo mundo tá indo ou vindo da Bolívia.

— Mas ele não está passeando. É fotógrafo, especializado em natureza selvagem. Trabalha pra diversas revistas. Está a serviço da *National Geographic*. Vai escalar o cerro Aconcágua, na Argentina, pra fazer umas fotos, mas antes ficará umas semanas na Bolívia como parte do programa de aclimatação.

— Aclimatação?

— Adaptação à altitude, ao ar rarefeito. Coisa de quem sobe montanha. Quanto mais alto, menor a pressão atmosférica, menos oxigênio eles inspiram. Normalmente eles fazem isso na própria montanha, mas, como a Bolívia é um lugar muito alto, também serve.

— A Bolívia é tão alta assim?

— É.

— Mais essa, então.

— É o preço que eles pagam pra chegar ao cume de uma montanha e ter uma visão privilegiada dos arredores.

— Vida boa tem o fotógrafo, hein?

— Mas nem sempre está contratado, o que não o impede de andar pelo mundo.

— Como sobrevive?

— Pelo que entendi, os pais deixaram uma casa, que ele aluga. Dessa renda, sustenta as viagens.

— E mora onde?

— Por aí.

— É não ter o que fazer.

— Pelo menos, conhece muita gente.

— Claro, os malucos sempre se encontram.

19

Plaza Hotel — Suite Junior

— Alô.

— Alô, mamãe.

— Ah, nem acredito. Três dias sem telefonar.

— Tentei, mas não consegui completar a ligação. Isto aqui é o Paraguai, né, a senhora sabe. Mas tá tudo bem, não há nada de novo.

— Não há aí, mas aqui o mundo caiu. Nem sei por onde começar.

— Comece pelo começo.

— Um cara, um desses procuradores recalcados, entrou na Justiça pedindo a suspensão das nomeações — estão querendo anular o concurso —, e o juiz, outro imbecil arrogante, concedeu a liminar.

— O quê? O que a senhora tá dizendo?

— Isso que você ouviu.

— Não é possível!

— Hoje, meu filho, tudo é possível. Desde que essa gentinha chegou ao poder, tudo é possível. Ah, como eu queria que seu pai fosse vivo. Ele não aceitaria essas coisas.

— Mas o que aconteceu?

— O procurador alegou que as vagas foram aumentadas pra beneficiar o filho do senador Junqueira.

— Que absurdo! Como alguém se atreve a dizer uma coisa dessas?

— Absurdo dos absurdos, meu filho. Mas o juiz deu a liminar. Esse povinho, depois que veio pra Brasília, está se lambuzando todo.

— E agora, o que vamos fazer?

— Falei esta manhã com o Dr. Cavalcanti, aquela bisca. Que velho nojento. Mas ele devia muitos favores pro seu pai, e cobrei isso. Deixei bem claro, joguei na cara dele. Ah, joguei mesmo; ele ouviu tudinho. Vai designar um dos advogados do escritório pra te representar.

— Mamãe, será que vão anular o concurso?

— Ninguém vai anular nada, me disse o Cavalcanti. Foi só pra esses moleques inconsequentes que estão entrando no Ministério Público mostrarem serviço. A liminar vai ser cassada e vocês vão assumir. Todos! Ah, que vão isso vão.

— Mas é um problema.

— Sim, é um problema; isso deve atrasar a sua nomeação em algumas semanas, quem sabe meses.

— Vamos torcer pra dar certo.

— Vai dar certo.

(Victor retoma o livro, mas não consegue se concentrar. Decide trocá-lo pelas garrafinhas de uísque do frigobar.)

20

Bar Club Terraza

— O bar no terraço tá aberto?

— *Sí, don Victor.*

(Quando as garrafinhas do frigobar terminam, Victor sobe ao terraço. Havia chovido no fim da tarde, as mesas e as cadeiras na parte externa continuam molhadas.)

"Pelo jeito, a piscina tá sem uso há um bom tempo, talvez nem funcione mais. A metade das luzes tá apagada, as lâmpadas devem estar queimadas. É deprimente."

(O único garçom está mais interessado em um jogo de futebol que passa na tevê sobre o balcão.)

"E chamam isto de Club. Nem dá pra ver as luzes da cidade, lá embaixo; apenas uma claridade difusa."

— Não, não acredito que isto possa estar acontecendo comigo! Melar o concurso? Que filhos da puta!

(Só depois do terceiro uísque, nota que está sozinho no bar.)

— Garçom.

"E agora, o que faço da minha vida? Outro concurso? Voltar a estudar dia e noite sem parar? Não, não aguento mais isso. E como chegar pra turma e dizer: olha, pessoal, sabem aquele emprego maravilhoso que falei pra vocês, que eu iria ser advogado do Senado Federal? Pois é, foi pro espaço. Vão me dizer: ah, que pena, e depois se reunirão pra rir de mim. Bem feito pra ele! A Marta, que poderia me dar uma força, nem tá em Brasília. E a minha mãe? Victor faça isto, Victor não faça aquilo; Victor pra lá, Victor pra cá! Pode ser que tudo se resolva, e deve se resolver, estamos no Brasil, mas, enquanto a situação estiver assim, ah, não, não tenho cara pra voltar."

— Garçom!

21

Plaza Uruguaya

— Vim saber o que aconteceu, você sumiu.

— Retiro espiritual.

(Victor recebe o holandês no quarto. A cara de ressaca mostra que passou a noite bebendo e dormiu só pela manhã.)

— Vamos comprar a passagem pra Bolívia? Viajo amanhã.

— É só o que temos feito, né. Caminhar e caminhar.

— Estamos na estrada pra isso.

(Victor aceita o convite, precisa mesmo esticar as pernas. Desde que recebera o telefonema da mãe, avisando a suspensão das nomeações, está trancado no quarto: fumando, bebendo e tentando ler Roa Bastos.)

— Leu o livro?

— Li.

— E aí, gostou?

— Adorei.

"Como dizer que achei o livro meio estranho? Você tinha dito que se trata de uma grande obra, mas não concordo com a maior parte das críticas feitas pelo escritor. Terei que reler alguns capítulos, muitas passagens ficaram nebulosas, o texto é um pouco confuso. Mas não quero conversar sobre isso, ficaria chato dizer que não entendi a história. O que você iria pensar? Assim que der, leio de novo e aproveito pra exercitar meu espanhol. Melhor mudar de assunto."

— Vincent, preciso comer alguém em espanhol. Nem que seja uma dessas mestiças. Algumas até são bonitas. Tem uma recepcionista no hotel... Não posso voltar no zero a zero. O que a galera vai dizer?

— Considero isso uma evolução.

— Evolução nada, é só tesão. Reprimido. Mas quero falar de outro assunto. Vamos sentar um pouco, tô cansado. Olha, estive pensando aqui comigo: talvez uns dias em La Paz não sejam assim tão ruins...

— Será que ouvi direito?

— Ah, se você ficar se deitando, aí não vou mesmo.

— Se deitando?

— Se divertindo às minhas custas.

— Estava brincando. Tenho certeza que você adoraria conhecer La Paz. Além do mais, me faria companhia na *ruta* Trans-Chaco. Cruzaríamos o Chaco Paraguaio e o Chaco Boliviano. Descansamos dois ou três dias em Santa Cruz e de lá pegamos outro ônibus até Cochabamba, só pra darmos uma rápida caminhada pela cidade. Depois, seguimos direto pra La Paz.

— Cara, me desculpe, mas só em pensar fico cansado. Não tem outro jeito?

— Se tivéssemos dinheiro, alugaríamos um jipe e, numa semana, estaríamos em La Paz. Seria a viagem ideal, pois no caminho poderíamos visitar o Parque Nacional Defensores del Chaco. Você gosta de animais selvagens? Lá ainda é possível encontrar pumas, jaguares e outros grandes felinos soltos na natureza.

— Piorou.

— Então vá de avião, porra!

— Porra? Onde você aprendeu isso?

— No livro que você me emprestou.

— Avião, porra! É isso! Tem avião pra La Paz?

— Deve ter, é uma capital.

— Não gosto de viajar de avião, mas se tiver voo direto de Assunção pra La Paz e eu conseguir trocar minha passagem, te encontro na Bolívia.

— Então vamos reencontrar a Dulce em La Paz.

— Ei, você tá a fim dela?

— Não. Deixo a loirinha pra você.

— Combinado: eu como a italianinha, e você as *cholas*.

— Fechado. Mas tem uma coisa.

— Ih...

— Se você está mesmo interessado na gringa, melhor trocar os hotéis de luxo por um hostal. Faz mais o estilo dela.

— Dormir num quarto coletivo?

— Que tal um quarto triplo: eu, você e ela? Em alguns hostales os dormitórios são mistos. De repente, damos sorte.

— E vamos transar com você nos olhando? Quando eu gozar, a galera vai bater palmas? Ah, me poupe. Vamos devagar. Não podemos dividir um quarto, eu e você?

— Podemos.

— Então fazemos isso. Preciso de um lugar seguro pra deixar as malas.

— Malas?

— Malas. Por quê?

— Quantas malas você tem?

— Três.

22

Central Telefónica de Asunción

— Alô.

— Alô, mamãe.

— O que está havendo, meu filho?

— Nada.

— Como assim, nada? Você não telefona mais!

— Não telefono? Olha, tenho uma novidade. Vou continuar em Assunção mais alguns dias.

— O quê?

— Não tô ouvindo, a ligação tá ruim. Vou desligar. Beijos.

23

Terminal de Ómnibus Ciudad de Asunción

— Você tem certeza que isto vai chegar a Santa Cruz?

— Espero que sim.

(A estação rodoviária está movimentada. Vincent compra bolachas e água, pois não há restaurantes na beira das estradas, e os lanches que o ônibus oferece durante a viagem não são suficientes.)

— É chão, hein?

— Os primeiros quatrocentos e cinquenta quilômetros, até Filadélfia, são asfaltados. Depois teremos mais trezentos até a fronteira com a Bolívia e quase outro tanto até pegar o asfalto de novo, perto de Santa Cruz.

— Vou chegar três dias antes de você.

— Vai perder a melhor parte da aventura.

— Que nada. Se na Bolívia as coisas são baratas como você diz, enquanto você se aborrece na estrada sem fim estarei tomando um scotch, fumando meu cigarro preferido e comendo em restaurantes chiques. Só não quero me perder na cidade.

— Ninguém se perde em La Paz. Ela está num cânion, você só pode subir ou descer. E, caso fique desorientado em alguma rua lateral, basta caminhar descida abaixo que sairá na avenida principal.

— Já esteve lá?

— Meu guia de viagem tem um mapa da cidade.

— Espero que meu hotel seja no centro, não pretendo ficar me cansando subida acima.

— Sei que você não vai me levar a sério, mas não o invejo.

— Não acredito mesmo.

— Olha, se eu quisesse conforto, teria ficado em Amsterdã. Não existe lugar no mundo, nem o mais sofisticado dos hotéis, tão aconchegante quanto a minha casa.

— Mas, como você se odeia, vai pra Bolívia de ônibus.

— Pelo menos vou ter algo pra contar aos amigos.

— Ah, temos um problema. A reserva do hotel não tá confirmada. Tem um congresso na cidade, ou algo assim. Talvez eu acabe noutro e não sei como te avisar.

— Quando você estiver no hotel, me envia um e-mail com o endereço. Tão logo eu esteja acomodado no hostal, checo meus e-mails e vou te buscar.

— Como vamos saber onde a italianinha vai estar hospedada? E se não a encontrarmos em La Paz? É uma cidade grande, deve haver muitos hostales.

— Ela usa este mesmo guia de viagem, onde os hostales estão indicados a partir do preço mais baixo. Como ela não vai pra Bolívia em busca de conforto, aposto que estará no dormitório mais simples do hostal mais em conta.

— Espero que você esteja certo.

— Fique tranquilo, os malucos sempre se encontram.

— Por falar em malucos, você não acha os bolivianos um povo meio estranho?

— Estranho como? São pessoas como nós: perfeitas.

— Perfeitas? Você acredita em perfeição?

— Eu acredito, assim como os renascentistas, que o ser humano é perfeito. Somos a experiência mais completa que existe no mundo.

— Você é otimista.

— Nem tanto, pois há um problema: quando eu olho pra alguém, não vejo a sua extraordinária complexidade, mas sim as expectativas que eu projeto nele. E, como cada um de nós é fantasticamente complexo, e por isso extremamente diferente, a visão que tenho dele, por ser uma projeção minha, é deformada; e eu acho que isso é um defeito dele. Quando, na verdade, o que o difere de mim é que é a sua grande virtude.

— Outra cerveja?

— Vê se tem gelada, estas vieram quentes.

— Garçom!

— Por isso, pra mim, o maior de todos os valores humanos é a tolerância. Só ela nos permite ver como virtude o que julgamos imperfeições. E o segundo maior valor humano é a solidariedade, pois ela nos permite não só aceitar a diferença no outro, como a estimular.

— Já que você tá filosofando, então me diz: qual é o sentido disso tudo?

— O sentido da nossa vida é tornar o mundo um lugar melhor pra se viver, aperfeiçoando a criação original. Ao melhorar a criação original, estaremos nos transformando em criador, isto é, readquirindo a nossa natureza divina.

— Garçom!

(Cinco horas depois do previsto, o ônibus sai de Assunção. Quebrara o rolamento de uma roda traseira, e os mecânicos precisaram retificá-la; não havia peça de reposição.)

— O motorista disse que não ficou bom, mas foi o que deu pra ser feito. Com um pouco de sorte, chegaremos ao fim da viagem.

— Então, boa viagem e muito boa sorte!

— Vou precisar mesmo.

24

La Paz — 3.600 metros de altitud — Bolivia

— *¿Dónde hay un McDonald's?*

— *No hay McDonald's en Bolivia, señor.*

(O centro está movimentado, pessoas saem para o almoço ou voltam para os escritórios. Mas os bolivianos são gentis, estão sempre dispostos a prestar esta ou aquela informação, em especial aos estrangeiros. Victor logo descobre.)

— *¿Cómo no?*

— *Bien, después de catorce años de presencia en el país, además de todas las campañas, la cadena fue obligada a cerrar los ocho restaurantes que mantenía abiertos en La Paz, Cochabamba y Santa Cruz de la Sierra.*

— *¡No sabía!*

— *Se trata del primer país latinoamericano que se quedará sin McDonald's y el primer país en el mundo donde la empresa cierra por tener sus números en rojo durante más de una década.*

— *Creo que ustedes prefieren comer las empanadas a las hamburguesas.*

— *No es solo el gusto, señor.*

— *¿Entonces por qué quebró McDonald's en Bolivia?*

— *El rechazo no es a las hamburguesas ni a su gusto, el rechazo está en la mentalidad de los bolivianos. Aquí, la comida, para ser buena, requiere, además de gusto, mucho tiempo de preparación. La comida rápida no es para nosotros.*

— *¡Que cosa!*

— *Bien, señor, se quieres comer bien, hay una churrasquería brasileña muy cerca.*

— *¿Es verdad?*

— *Siga por esta misma calle. Cruce el consulado brasileño y va hasta la segunda esquina, a la derecha.*

— *Muchas gracias, amigo.*

— *Bon provecho, señor.*

"Cidade estranha. Não tem McDonald's, mas tem uma churrascaria!"

— Salvo melhor juízo, não vou me dar bem aqui.

25

Hotel Plaza Tiahuanaco

(As mãos do general o estão sufocando, ele não consegue gritar. Não vê o rosto, não sabe quem é, mas é um general, isso ele sabe, reconhece as insígnias. General. Distingue estrela por estrela. Um general de quatro estrelas. Mas não são as mãos do general que o estão sufocando, isso não é possível, elas não tocam sua garganta; é a presença do homem que o sufoca. Ele, ali ao lado da cama, consumindo todo o ar que há no quarto. Sugando tudo. Que coisa! Mas já não é mais o general quem consome o ar, ele agora também sente falta de oxigênio; são as estrelas sobre os ombros do general que retiram todo o ar do quarto. São as estrelas na farda do general. O ar entra pelas estrelas e some. Ele irá morrer, assim sem ar, ele e o general, ambos morrerão sufocados, não conseguem respirar. As estrelas, cheias de ar, brilham. Forte. Cada vez mais forte. As estrelas enchem a farda de ar. A farda, gorda, inchada de tanto ar. Boneco de ar. E ele assim, esmagado pela dor de cabeça: vai morrer por falta de ar. Precisa vomitar. Tá sozinho. Vai morrer sozinho. Asfixiado. Ele e o general vão morrer juntos. Cairão sobre o vômito um do outro; as cabeças explodindo.)

26

Valle de la Luna

— *¿Te gusta?*

— *Sí.*

(O sol brilha gelado. Um frio gostoso, seco, convidativo para a caminhada que se anuncia. E lá se vão atrás do guia, cobrejando pelas trilhas de terra batida, subindo e descendo, os da frente deixando poeira para os de trás; alguns com medo de cair lá embaixo.)

— Este é um dos principais atrativos naturais na periferia da capital. E, como estão vendo, não se trata de um vale, como sugere o nome, mas a encosta de uma montanha moldada pela erosão através dos séculos.

"Não devia ter me deixado levar pela lábia do recepcionista do hotel e embarcado neste cansativo tour cheio de gringos esbaforidos. A velha gorda, então! O que faz aqui? Tem gente que não se enxerga. Que coisa!"

(A dor de cabeça, que o acompanha desde a chegada a La Paz, ganha intensidade sempre que precisa alargar o passo. Haviam indicado mate de coca, mas ele reluta em tomar o tradicional chá andino.)

"Sabe-se lá o que pode me acontecer. Estar na Bolívia é o suficiente, não preciso exagerar. O pesadelo da noite passada, quando pensei que fosse morrer por falta de ar, foi um aviso.

Preciso me cuidar. Também não vou entrar numa farmácia e comprar remédio, nem sei por onde começar. Nem confio nos farmacêuticos; parecem rudes demais pra entenderem de medicina. É tudo muito estranho."

(Ele estranha essa gente estranha.)

"Espero me acostumar logo com a altitude pra essa dor desaparecer, o meu intestino voltar a funcionar."

27

Hostal Yatiri — Bar

— *Un traguito.*

— *Sí, compañero.*

(O sujeito destoa da alegria espalhada pelo bar. Ora bebe chicha — sempre derramando um pouquinho do destilado de milho para a deusa Pachamama —, ora masca folhas de coca. Os cabelos pretos e lisos escapam pela boina e descem até os ombros, tocando a jaqueta de corte militar. O charango, protegido por uma capa marrom, puída e desbotada pelo uso contínuo, está ao lado, sobre o balcão. Quase não o veem. Os frequentadores quase não os veem; nem a ele nem ao fino instrumento feito com uma única peça de madeira.)

— *Waiter, one more beer.*

— *Just a moment, please.*

(O pessoal está mais preocupado com a cerveja. Boa e barata, como tudo na cidade. As conversas se confundem na pouca luz. Os cabelos loiros e curtos, as camisetas folgadas e os bermudões cheios de bolsos não distinguem os rapazes das moças. As mochilas coloridas, sobre as mesas, podem ser de qualquer um deles.)

— *Look at the show.*

(As atenções se voltam para o boliviano quando ele dá os primeiros acordes. O bar silencia. As garrafas são colocadas sobre as mesas, e todos se voltam para a ponta do balcão. O rapaz começa a cantar, e sua voz rouca abafa os risos alcoolizados. O momento é solene, os gringos presenciam a autêntica manifestação da cultura local.)

— *Show!*

(O bar, na entrada do hostal, é famoso pela música ao vivo; sempre tem uma surpresa agradável para os frequentadores estrangeiros. Não entendem quíchua nem aimará; a maioria sequer compreende espanhol, mas não importa.)

— *Show*!

(O músico inicia pelo seu gênero favorito: a Nova Trova cubana. Ela havia inspirado os ritmos que embalaram os movimentos latino-americanos de protesto contra as ditaduras que infestaram o continente em tempos recentes. Agora, com um indígena na presidência, as canções voltam com ardor, as utopias se reacendem.)

— Conhece estas músicas, Victor?

— Não, mas tô prestando atenção nas letras.

(Ele canta *Hasta siempre, Comandante*, feita por Carlos Puebla em homenagem a Che Guevara.)

— *Bravo!*

(Cada nova música é aplaudida com entusiasmo. Os gringos pedem mais cerveja e dão vivas! É uma festa. Viva.)

— Ei, Vincent, a turma entende o que ele tá cantando?

— Claro que não, Victor. Se entendessem, não estariam aplaudindo. Ou você acha que esses moleques são socialistas?

(Ao fim do pequeno show, o músico boliviano pede, em inglês, para todos entenderem, uma colaboração. A boina passa de mão em mão e volta recheada de euros e dólares. Exceto uma nota de dez bolivianos.)

— Quem colocou esta miséria na minha boina?

— Eu.

— Pois venha pegá-la de volta. Não sou um mendigo. Sou um revolucionário. Canto em nome do povo latino-americano.

— Você pode ser um revolucionário pra esses babacas que não entendem uma palavra do que cantou, mas não pra mim.

— Você só pode ser um ianque de *mierda*.

— Sou brasileiro!

— Imperialista! Vamos expulsar suas empresas da Bolívia. Uma a uma, vocês vão ver. Ou botamos fogo em todas.

— Ah, vá se ferrar!

— Vá você, gringo contrarrevolucionário! Eu sou um poeta do povo, um homem sensível, *carajo*!

(As garrafas de cerveja e as vozes voltam ao centro das atenções, e a discussão se perde em meio à algazarra. O bate-boca nem chega a ser notado pela rapaziada.)

28

Hostal Yatiri — Cuarto

— Gostei de ver.

— Tipinho arrogante!

(Victor e o holandês pagam a conta e seguem para o quarto.)

— Falo de você discutindo em espanhol. Nada como alguns dias sozinho em La Paz. Quanto ao garoto: um remanescente da utopia socialista, que ficou apenas na teoria livresca.

— Tipos assim acham que vão salvar o mundo com suas lorotas. Eles estão voltando, há dessa gente também no Brasil.

— Esse sujeito, como tantos outros, é apenas uma vítima do excesso de leitura. Esta história vem desde que Émile Zola publicou *Germinal*.

— *Germinal*?

— O francês escreveu sobre uma greve de mineiros, um dos primeiros romances a abordar a luta de classes. Devemos relevar a rapaziada. São todos, como os mineiros de Zola, vítimas de leituras não digeridas.

(Haviam se instalado no hostal pouco antes, as malas do brasileiro estão abertas e o conteúdo espalhado pelo quarto. As camisas sociais estão em um cabide, pendurado na guarda do beliche. Os casacos estão em outro cabide, no beliche ao lado. As calças, ele as estendeu sobre a cama vazia. Mas o resto está por todo canto.)

— Onde tá a minha carteira de motorista? Deve estar no bolso de algum casaco. Se é que não a perdi em meio à bagunça que a minha vida se transformou nas últimas semanas.

— Ah, Victor, deve estar por aí. Procura melhor.

(A mochila cargueira do holandês permanece fechada. Ele está usando apenas o que havia tirado dos bolsos externos. A mochila pequena, usada no dia a dia na cidade, nem fora tocada.)

"Como pode não ter bagagem? Também, tá sempre com a mesma roupa!"

— Victor, antes de me deitar, vou escrever um pouco. Você se importa se eu deixar a luz acesa?

— Sem problemas. Aproveito pra ouvir as fitas.

— Música?

— Aulas de inglês. Comprei um kit numa livraria no centro. O que você acha que fiz durante os dias em que fiquei no hotel esperando? Além de sentir dor de cabeça, ânsia de vômito e diarreia, é claro. Aliás, nem sei como aguentei. Se você não tivesse me enviado aquele e-mail de Santa Cruz, eu teria voltado ao Brasil.

— Pelo menos, valeu o ônibus ter quebrado em pleno Chaco. Deu tempo pra você estudar inglês. Quer conversar um pouco na língua da rainha?

— Quando você terminar de escrever seu livro.

— Não é livro. Apenas atualizo meu diário.

— Você tem um diário?

— Tenho.

— Não acredito. Um homem desse tamanho com um diário!

— Ei, qual é o problema?

— Ah, me poupe. É muita bichice.

— Bichice?

— Bichice. Frescura. Veadagem. Coisa de mulherzinha. Ai, ai... querido diário...

— Cara, todo mochileiro tem um diário pra anotar as coisas interessantes, os endereços dos novos amigos e tantas outras informações. É um grande parceiro, talvez o mais fiel. Depois, em casa, fica mais fácil relembrar a viagem, catalogar as fotografias, refazer os custos.

— Tá bem, esquece. Vou dormir. Vê se não demora com a luz acesa.

— Ei, você não pode me culpar pela Dulce ter saído do hostal.

— Se você tivesse vindo comigo, teríamos chegado a tempo de encontrá-la.

— E por que eu viria de avião? Olha, Victor, não vim pra este lado do mundo pra andar de avião, nem correr atrás de mulher.

— Deserto do Atacama! Gente mais estranha. O que alguém vai fazer num deserto?

— Quando você a encontrar, pergunte. Ela havia me dito que ficaria seis meses viajando pela América do Sul. E, pelo que sei, havia chegado há poucas semanas.

— É, a América do Sul é pequena, de repente a gente vira uma esquina e, pronto, dá de cara.

— Tirando o Brasil, a América do Sul é pequena sim. Pelo menos, os lugares que interessam a uma mochileira descolada.

— Ora, você vai embora depois de amanhã.

— Você não precisa ir.

29

Central Telefónica de La Paz

— Alô.

— Alô, mamãe.

— Meu filho, esqueceu que existo?

— Ora, não faça drama, dona Cândida.

— Ai, meu filho, as coisas aqui estão muito tristes. Esta casa fica vazia sem você, em especial nos fins de semana. A cidade está deserta, as pessoas desapareceram. Nem seus amigos me procuram mais.

— Mamãe, você nunca gostou dos meus amigos!

— Virou ingrato agora?

— Alguma novidade?

— Sobre o quê?

— Ah, mamãe! Sobre o que seria? O concurso.

— Pensei que você tivesse esquecido, nem quer voltar pra casa.

— Mamãe, assim que combinar com o holandês a minha viagem pra Amsterdã eu volto ao Brasil.

— Nada, meu filho, nada. Amanhã telefono pro Cavalcanti pra saber notícias.

— Beijos.

— Espera, não desliga.

— O que foi?

— O que você anda comendo por aí?

— Beijos.

30

Hostal Yatiri — Cocina

— Você pode me ajudar?

— Cara, meus dotes culinários são pequenos.

(A cozinha está movimentada. O dia ensolarado convida para um passeio, a turma quer botar o pé na rua o mais rápido possível.)

— Acho bom aperfeiçoá-los, pois a maior vantagem de um hostal é podermos preparar a comida, fugir dos restaurantes caros. Além de fazer novas amizades, claro.

— De que você precisa?

— Eu preparo o café e você lava as xícaras.

— Vá lá.

— Vou te contar um segredo: por mais que você cubra uma mulher com joias, por mais caros os restaurantes que você a leve e por mais sofisticada que seja a vida que você lhe der, sabe o que ela realmente valoriza?

— O quê?

— Quando você lava a louça em casa.

— Ah, fala sério!

— Bom dia, Vincent! Prepara mais um café? Se não me engano, na última vez fui eu quem fez o café pra nós.

— Mas olha se não é a minha querida Louise! Por onde tem andado?

— Por aí.

— Quero te apresentar o Victor, um amigo brasileiro.

— Tudo bem?

— Mais ou menos.

— Louise se formou em odontologia e, antes de iniciar a carreira, tirou um ano pra viajar pelo mundo. Nos conhecemos em São Miguel das Missões, no Sul do Brasil, algumas semanas atrás. Ela é canadense, mas fala espanhol muito bem.

— Sou de Quebec, assim o espanhol não me é de todo estranho.

— Olha, Louise, quanto ao café, sem problemas, eu faço Mas você precisa consultar o Victor, ele é o encarregado de lavar a louça.

— Pra ser sincera, pela roupa dele, pensei que fosse o gerente, jamais o lavador de pratos.

(Vincent tem só mais um dia na cidade, assim resolvem caminhar logo após o café. Louise pede para acompanhá-los e a presença de uma mulher no grupo traz algumas modificações imediatas na vida do brasileiro.)

— Eu já tô pronto.

— Nada disso, *monsieur*, pode voltar e tirar a gravata. Não vou sair com um executivo de gravata. Outra coisa: você tem pelo menos um blazer?

— Tenho.

— Ele carrega três malas com roupas.

— Sério? Bem, então volta lá e coloca um blazer. Ah, uns tênis também.

— Quanto ao blazer, tudo bem, mas tênis eu não trouxe.

— O quê? Você não trouxe tênis? Um mochileiro andando de sapato social pelas ruas da Bolívia não dá, não é?

— Louise, ele não tem nem mochila.

— Tá bom, vou colocar uma roupa mais confortável.

— Vincent, onde você encontrou o E.T.? Você tem cada amigo, *chéri*. Quando não são fantasmas, são zumbis.

— Ele é um rapaz inteligente e muito legal, apenas ainda não foi contaminado pelo mundo.

(Quando Victor reaparece, Louise o aplaude, brindando-o com um beijo na boca.)

— Adorei você assim. Fica bem melhor de blazer e sem gravata; uns dez anos mais jovem. Só não aprovei o gosto de cigarro.

31

Iglesia de San Francisco

— Victor, tudo que você precisa tem nesta loja.

— Nesta espelunca?

(Victor fica indeciso quanto à marca do tênis.)

— Ah, *chéri*, sem frescura. Compra o mais barato.

(Visitam a igreja de São Francisco, a mais bela da cidade. Louise convida os rapazes a sentarem-se nas escadarias e ficarem observando as *cholas*. Algumas estão acocoradas; outras, com os filhos no colo, vendem artesanato indígena para um grupo de turistas.)

— Acho estas mulheres um exemplo.

(Victor se demora um pouco mais dentro da igreja, quer ficar sozinho.)

"A parte arquitetônica, tão admirada por eles, não me atrai; igreja velha é tudo igual. Prefiro, isto sim, rezar um pouco."

(Após as orações, ele se junta aos amigos. A canadense tenta fotografar uma *chola*, a mais vistosa. Com chapéu de feltro negro, de copa alta e aba estreita, ela se sobressai entre as demais. As diversas saias coloridas superpostas, a blusa rendada e os três filhos sentados ao redor formam um belo quadro, mas a boliviana não gosta. Louise oferece dinheiro, uma nota de um dólar. A mulher acha pouco. A garota volta para o grupo, balançando a cabeça.)

— Quanto ela queria?

— Imagina, Vincent, ela queria dez dólares! Vou usar a teleobjetiva.

— Como foi a travessia do Chaco, Louise?

— Normal. Tive um contratempo apenas nas proximidades de Cochabamba. Aconteceu um deslizamento de terra, e a estrada ficou interrompida. Foi no começo da noite, e dormimos no ônibus. Mas, de manhã, peguei a mochila e me fui. Cruzei sobre as pedras que haviam rolado da montanha, saí no outro lado e consegui uma carona até Cochabamba. De lá, um ônibus até La Paz.

— O pessoal ficou na estrada?

— Sim, Victor. Depois li no jornal que a rodovia permaneceu fechada durante quatro dias, mas ninguém arredou pé, em especial quem viajava de ônibus.

— Por que eles não fizeram como você?

— Porque são bolivianos. Neste país, ninguém quebra a inércia. E a sua travessia, Vincent, como foi?

— Também foi normal. O ônibus quebrou perto da fronteira com a Bolívia, no meio do deserto. Mas tinha um posto do Exército próximo, e fomos acolhidos pelos militares. Os próprios soldados consertaram o defeito e, no dia seguinte, prosseguimos a viagem.

— Conseguiu dar uma caminhada?

— Andei um pouco. Fiquei impressionado com a aridez do solo. Na época das chuvas, se transforma num pantanal, mas no inverno a terra fica esturricada.

— Não tive essa sorte, passamos direto.

— E a sua travessia, Victor, como foi?

— Pelo jeito, foi anormal.

— Anormal?

— Ele veio de avião.

32

Terminal Terrestre Ciudad de La Paz

— Quanta gente!

— Todo terminal rodoviário é assim.

(Uns chegam, outros saem, o movimento é grande. Sem contar as famílias sentadas sobre as bagagens, esperando lugar em algum ônibus que teima em não sair. A sobriedade do prédio, charmosa construção da primeira metade do século passado, contrasta com a balbúrdia e o colorido dos passageiros.)

— Victor, não gosto de despedidas.

— Nem eu.

— Então, sem despedidas.

(Vincent ainda não tinha visto o brasileiro tão calado.)

— Tenho um presente.

— Ah, Vincent, você e seus presentes.

— Tome, mas só pode abrir quando chegar ao hostal.

— Obrigado. Mas você me pegou de surpresa, não comprei nada.

— Você me deu um belo presente.

— Aquele livro ridículo?

— Não. O sotaque.

— Ah, fala sério!

— Cuida bem da Louise, ela está caída por você.

— Que nada.

— Ela me disse.

(Abraçam-se, apertam-se as mãos, e Vincent embarca no ônibus. Coloca a mochila embaixo do banco, senta-se e abre a janela. O carro começa a se movimentar.)

— Me diz...

— O quê?

— Lá nas Missões...

— O que tem?

— Você e ela, rolou?

— Sim.

— Seu tratante!

— Você quer ficar com todas as mulheres?

— Deixei as mestiças pra ti.

— Te espero em Amsterdã.

— Estarei lá no próximo verão.

33

Rio Choqueyapu

— *Taxi?*

— *No, gracias.*

(Victor regressa ao hostal. Está longe, mas a rodoviária fica na parte alta da cidade, precisa apenas descer a avenida central. Embora troque de nome diversas vezes, ela acompanha sempre o traçado original do velho rio, hoje canalizado.)

"É uma pena não ver o rio. Não o atual, claro, mas o antigo."

(O ouro que corria no leito do Choqueyapu, na época da Conquista, ao longo do qual surgiu a cidade de La Paz, foi substituído pelo esgoto.)

"Que triste sina. Vítima da própria riqueza, como dizia Vincent."

(Em vez de ouro, agora ele transporta o lixo e as toxinas industriais produzidas pelos moradores da cidade.)

"Deprimente."

(Quando o rio emerge, na parte baixa do desfiladeiro, na área rural, os camponeses utilizam as fétidas águas para lavar, cozinhar e mesmo beber. Alguns a esquentam, mas não a fervem, há escassez de lenha. Outros a fervem, mas não a livram dos resíduos químicos.)

"Lembro de Vincent contar das conversas com os agricultores, que nada podiam fazer, melhor se conformar. E tocar a vida, do jeito que dá. Talvez por isso a melancolia do povo. O abandono desta gente chega a doer na alma. Vincent deseja voltar um dia, fazer algo pelo rio, ajudar os campesinos. Se der, venho ajudá-lo."

(Victor está chateado. Por algum motivo, agora entende por que Vincent ficava triste quando falava da poluição.)

"La Paz é uma cidade feia. Basta olhar pras encostas do vale cobertas pelo casario desbotado, quase uma favela. Lembra a periferia de Brasília, só que na vertical."

(Os topos nevados das montanhas, ao longe, estão cobertos pelo cinza das nuvens baixas. Os carros que descem a avenida Mariscal Santa Cruz são antigos, e os ônibus velhos e barulhentos. Há fumaça por todos os lados, o buzinar ensurdece. Pessoas desconhecidas vão e voltam, algumas bem estranhas.)

"Vincent deve estar longe. Eu poderia dizer que agora tenho um melhor amigo? É, é possível que sim. Convivemos apenas algumas semanas, mas não me lembro de alguém, qualquer amigo, de quem goste mais do que ele. Verei o cara de novo?"

— Espero que sim.

34

Locutorio San Pablo

— Alô.

— Alô, mamãe.

— Onde você está?

— Tô bem, como sempre.

— Sei não, sei não. Às vezes fico com a impressão de que você está me escondendo alguma coisa. Coração de mãe não se engana.

— Eu, hein? Alguma novidade?

— Nada.

— Isso vai longe.

— Vai.

35

Altiplano

— *Bonjour, chéri.*

— Bom dia.

(A cozinha está quase vazia. O pessoal costuma reforçar o café, essencial para quem passa o dia na rua e só volta ao jantar. À noite é uma disputa por talheres, panelas, chaleiras e pratos.)

— Preparando algo pra comer?

(Os mochileiros compram os mantimentos nos mercadinhos e guardam na geladeira, embalados e identificados com o nome de cada um, e vão usando aos poucos. Às vezes, vão embora e esquecem algum pacote, que fica dias até ser jogado fora por alguém da limpeza. Óleos e temperos, consumidos em pequenas porções, são fornecidos pelo hostal.)

— Sim. E se o *bon vivant* aí come salada e arroz integral, tenho o suficiente pra dois.

(Há uma garrafa sobre a geladeira. Pede-se a quem usar os condimentos que deposite nela uma nota de um dólar. O mesmo deve ser feito com a garrafa na lavanderia, isso para quem utilizar o sabão do Yatiri.)

— Bem, deve ser melhor do que me arriscar na rua.

— Isso eu garanto. Pelo menos evita dor de barriga.

— Nem me fala. Na primeira vez que almocei fora do hotel, ali no centro, passei o dia seguinte trancado no banheiro.

— Senta aí, *chéri*, vou servir.

— Eu lavo os pratos.

— Obrigada. Você é um cavalheiro.

— O que te fez vir pra Bolívia?

— A paisagem, os indígenas, os preços baratos, a pluralidade linguística, por aí.

— Pluralidade linguística? Você se interessa por isso?

— Não é que me interesse, em especial. Mas são trinta e sete línguas oficiais, e isso é fantástico. Além do espanhol, eles falam mais três línguas principais: o aimará, dos povos pré-incaicos, o quíchua, dos incas, e o guarani na região amazônica. As outras são faladas em pequenas comunidades, mas o importante é que permanecem vivas. Você não acha que um país com esse respeito pela diversidade cultural do seu povo merece uma visita?

— É, pensando assim, faz sentido. E quais são os seus planos imediatos?

— Viajo amanhã pra Uyuni, quero visitar o Salar de Uyuni.

— Solar de quê?

— Não é solar, é salar.

— Ah, tá! Salar. Entendi: salar. Mas salar de quê, mesmo?

— Salar de Uyuni. Nunca ouviu falar?

— Deveria?

— Sim!

— Não!

— Difícil encontrar alguém que nunca tenha ouvido falar dele, uma das grandes maravilhas da natureza.

— Pra ser bem franco, poucas vezes eu havia ouvido falar da... Bolívia. O país só é notícia no Brasil quando os índios invadem as refinarias brasileiras.

— In-dí-ge-nas!

— In-dí-ge-nas. Com *i* maiúsculo?

(Louise serve diversas saladas e uma panelinha com arroz.)

— Na pré-história, um lago salgado, conhecido por Minchín, cobria quase todo o sudoeste da Bolívia. Quando ele evaporou, deixou lagos menores e uma enorme área coberta de sal.

— Nunca ouvi falar mesmo. Como se chega até lá?

— Está interessado?

— Ah, nada a ver. Só curiosidade. Não faz o meu tipo de passeio.

— Eu sei, mas, se você quiser me acompanhar, será um prazer. Rabisquei um convite no quadro de avisos, ali na recepção, mas não apareceu ninguém. Vou sair amanhã cedinho.

— Vai como?

— Parte de trem, parte de ônibus, parte de jipe. Quero visitar duas cidades no caminho: Oruro e Potosí.

— São interessantes?

— Muito.

— Cidade é mais comigo. O que elas têm de especial?

— Oruro é uma cidade indígena, aimará, terra do presidente. Eles produzem um rico artesanato, em especial máscaras usadas em suas festas religiosas. Potosí é a cidade mais alta do mundo. Chegou a ser uma metrópole maior do que Paris. Muito desse esplendor colonial ainda se pode ver na arquitetura das casas. Vamos juntos?

— Sei não.

— Ofereço um emprego. Nos hostales, você fica encarregado de lavar a louça.

— Vamos ficar em hostales?

— São simples, mas aconchegantes. E o que interessa é o clima, a camaradagem do pessoal, a troca de informações com quem chega ou sai. Rotina de hostal sempre é festiva, os depressivos não andam pelo mundo de mochila. Em alguns, talvez tenhamos que ficar todos no mesmo dormitório.

— Todos quem?

— Eu, você. Quem estiver por lá.

— Tem um problema.

— Qual?

— Não saí preparado pra tanta viagem. Financeiramente.

— Vá a um ATM e saque dinheiro.

— Como vou sacar dinheiro na Bolívia se a minha conta é no Brasil?

— Se o seu cartão de débito é internacional, você pode sacar dinheiro da sua conta em qualquer caixa eletrônico.

— Não sabia. Valeu a dica.

— Então, vamos?

— Vou pensar.

— Logo mais, à noite, passo no seu quarto e ajudo a arrumar a bagagem.

— Tenho três malas enormes.

— Vamos colocar o essencial na menor e deixar as outras guardadas no hostal. Você pega na volta.

— Não vai caber tudo.

— Dou um jeito.

"Não duvido."

36

Diário dos Andes

Querido diário. Ai, ai. Será que é assim que se começa um diário? Querido diário. Que bichice! Vincent me paga. Me dar um diário de presente. Só pode abrir o pacote quando chegar ao hostal. Que sacana! Vou enfiar esta porra na bunda do primeiro boliviano que aparecer na minha frente. Depois mando um e-mail dizendo o que fiz com o presente dele. Esta hora ele deve estar rindo de mim. Mas! Onde será que anda aquele malandro? Foi um bom parceiro. Quer dizer: bom em termos. Pô, cara, você precisava comer a Louise? Veio com aquele papo de que desejava as nativas. Foi só ela dar mole, e você não perdeu a chance, hein, seu aproveitador? A mulherzinha lá na África, cuidando das criancinhas famintas, e você aqui, comendo a canadense. E vem me dizer que ela está interessada em mim. Ah, conta outra! Será que está mesmo? É possível, me convidou pra tal viagem. Claro, precisa de alguém pra lavar os pratos. Querido, você pode lavar os pratos? Ah, muito obrigada, você é um cavalheiro. Aqui, ó! Não, nada disso. Ela não precisa de que alguém lave os pratos, pois nem suja; a infeliz não come! Por isso se mantém assim, elegante. Falsa magra. Adoro as falsas magras. Vestidas, parecem magrinhas; nuas, são cheias de curvas. Será que devo acompanhar a maluquinha? Sei não, preciso refletir mais um pouco. Nossa, de onde saíram estas coisas espalhadas pelo quarto? Como tudo isto coube nas três malas? Agora, Louise quer colocá-las numa só. A tarefa será tão difícil que nem vou tentar. Ela que se vire. Quero só ver. E os livros? O que faço com este monte de livros que o Vincent me deixou? Preciso me livrar deles, pelo menos dos maiores. Vou doar pra biblioteca do hostal. Mas e se ele perguntar o que achei? Qual você mais gostou? Qual isso, qual aquilo? Lerei alguns então. Deixa ver. Vou começar por este, o mais fino; depois leio um grosso. E nem deve ser grande coisa, são poucas páginas. Kafka deve ter inspirado Raul Seixas:

Prefiro ser
Essa metamorfose ambulante
Eu prefiro ser
Essa metamorfose ambulante

Quem sabe, se Louise não conseguir fazer a pequena mala, com tudo de que vou precisar, e não abrirei mão de nada, ela retira o convite? Seria um alívio. Não me arriscaria pelo interior da Bolívia nem ficaria me culpando por deixá-la escapar assim, tão fácil. O que o holandês faria? Ah, claro, você transaria com ela, passearia pelo tal planalto coberto de sal — me salve! — e depois escreveria tudo no seu diário, pra se lembrar em Amsterdã. Você não presta, seu gringo de mierda. *Então é pra isso que serve um diário? Por falar nisso: querido diário, vou sair pra comprar cigarros. Mas não se preocupe; volto cedo. Era só o que me faltava. Um diário!*

37

Tren Expreso para Oruro

— Não acredito que esteja acontecendo comigo!

— Falando sozinho, Victor?

(Chegam à Estación Central esbaforidos. Victor. Louise parece nem ter notado a longa subida.)

"Que ideia, essa dela, de vir a pé. Eu deveria ter insistido no táxi. Mas como, se ela se ofendeu quando fiz a sugestão? Será que a viagem vai ser toda assim, a pé? Nem pensar. Faturo a gringuinha na primeira noite e caio fora. E, pra variar, o trem continua atrasado. Pelo menos é o que informam aqui e ali, porque o setor de informações tá fechado. Não há informações. Dizem que tá atrasado. Quanto, não sabem. Ninguém sabe informar. Nada. Mas vai sair, dizem que sempre sai. Só tá atrasado. Não muito. Pelo menos, não muito. Talvez umas cinco horas! Quem sabe sete ou oito; que ninguém sabe exato. Às vezes sai no horário: uma ou duas horas de atraso. Depende. Depende disso. Depende daquilo. Depende daqueloutro."

— Depende, depende: é só o que sabem falar!

— Calma, Victor. Calma. A viagem nem começou e você já está estressado.

— Como pode?

— Isto é a Bolívia, *chéri*.

(Victor caminha para lá, caminha para cá. Caminha para cima, caminha para baixo. Vai, volta. Vai de novo, volta de novo. No banheiro, o cheiro de urina é insuportável. Ele volta.)

"É irritante. Nem tanto o atraso. É irritante a calma dela, sentada neste banco sujo, lendo um livro, como se eu nem estivesse aqui. Não, isto não é um livro, é um guia telefônico. Pelo tamanho, talvez seja a Bíblia. E ri de quê? Como pode fazer isso, se esquecer do mundo em volta? Que mulher estranha! Talvez não devesse ter vindo."

(Louise não consegue se concentrar na leitura.)

"Droga! Isto não é normal. Quando leio, nada me desconcentra, mas hoje... É irritante. Não o livro, é irritante o que Victor está fazendo. Sujeito mais estressado! Não consegue parar, sentar e esperar como todo mundo. Fica nesse vai e volta em volta de mim que só vendo. Que mau humor! A viagem não vai ser fácil. Talvez não devesse tê-lo convidado."

(Embarcam em meio ao tumulto. Tão logo o Expreso del Sur se movimenta, Louise coloca os fones de ouvido e sai do ar, para desespero de Victor. Assim, isolado dela, ele se acha inseguro em meio à confusão no trem.)

"Tanta gente estranha, meu Deus! Há uma viagem pela frente, as condições são desconfortáveis, pra não dizer péssimas, e a canadense aqui, ao lado, deitada de lado, olhos fechados, ouvindo sabe-se lá o quê. Qual o motivo dessa cara de felicidade? Parece viver num outro mundo. É, deve ser isso: ela é de outro mundo."

(O trem sobe trepidando em direção à borda do cânion. Arrastando-se, lerda como só ela, a composição emerge no planalto. A locomotiva, depois a fileira de vagões. Os primeiros repletos de carga, os últimos apinhados de gente sonolenta. Os muito pobres, para não pagar a taxa de embarque na Estación

Central, sobem em El Alto, a próxima estação. Espremem-se pelos bancos já ocupados.)

"Quanta gente!"

(A periferia, com suas casas sem acabamento, telhados de zinco enferrujado e ruas de chão batido, pontilhadas por crianças correndo descalças, é deixada para trás. A paisagem se transforma em extensos descampados, campos descoloridos ladeados pelos picos nevados da cordilheira. Povoados com casinhas de barro vão surgindo, indígenas com vestes coloridas pastoreiam ovelhas e lhamas; mais adiante, plantações em terraços sobem as encostas das montanhas. O trem se dissolve na imensidão marrom-avermelhada do altiplano, sem vivalma por quilômetros a perder de vista. Louise dorme, quase todos dormem.)

"Detesto isto, me sentir assim, excluído. Quem ela acha que é? Por que esse ar de superioridade? São todas iguais: Marta, Dulce, Louise. De novo, as mulheres. Algum dia as entenderei? Que gesto heroico precisarei fazer pra atrair a atenção delas? Não deveria ter vindo. Sinceramente, não deveria ter vindo. Agora tenho certeza."

38

Praia de Copacabana — Rio de Janeiro

— Você já nos conseguiu coisa melhor.

— Mudou o fornecedor.

(Conversam na cobertura do alto prédio na avenida à beira da praia. A festinha avança na madrugada, o champanhe corre solto; a alegria é total. Lá embaixo, a cidade ilumina o mar.)

— Antes vinha da Colômbia. Agora parece que a situação esquentou por lá, e a branquinha está chegando da Bolívia. Mas já falei pra chefia que tá todo mundo reclamando.

— Bolívia, é? Você sabia que o nome do bairro se deve a uma cidade boliviana, também chamada Copacabana?

— Sério?

— Comerciantes de prata trouxeram a réplica de uma santa famosa de lá e a colocaram numa capela, ali onde agora está o forte. Ela ficou conhecida por Nossa Senhora de Copacabana, a milagreira, e acabou dando nome à praia. Mas isso faz séculos.

39

Oruro — 3.706 metros de altitud

— Olha só, Louise, uma estação de trem maior e mais organizada do que a de La Paz.

— Uma boa surpresa.

(Graças à mineração, Oruro é o centro ferroviário do país. Conecta La Paz às principais cidades do sul e se estende para a Argentina e o Chile. Os trens partem a toda hora, a maioria com horas de atraso.)

"Ai, que dor nas costas."

(Viajar pela Bolívia é um desenrolar de surpresas, e nem todas agradáveis. Ao desembarcarem, não encontram a mala de Victor, colocada no bagageiro sobre a cabeça deles durante a viagem.)

"Como não vi furtá-la? Louise não poderia mesmo ter visto, dormiu toda a viagem, mas eu não. Eu não dormi! Ou será que também dormi?"

— Eu sabia! Eu sabia!

(Reclamam, reclamam, reclamam. Reclamam mais. E nada. Roubados e irritados.)

— Que roubada!

— Vamos pro hostal. Amanhã registramos queixa na polícia.

— E as minhas roupas?

— Compramos outras amanhã.

(Caminham até o hostal, ali perto. Victor está chateado e furioso, mais furioso do que chateado.)

"Eu deveria ajudar Louise com a mochila. Tá pesada. Ah, mas ela que se vire, é tão sabida."

— Eu ajudo.

— Não precisa.

"Bem feito pra mim."

— Lou, poderíamos dividir um quarto, economizaríamos alguns bolivianos.

(Fala assim, a não querer nada. Procura disfarçar a ansiedade.)

"Vai ser hoje: transar com a ruivinha e voltar pra La Paz. Depois, contar pra galera, em todos os detalhes. Picantes. Vai ser o máximo!"

— Se você não fumasse...

40

Casa de Huéspedes San Miguel

— Que coisa!

— Calma, *chéri.*

(Enquanto Louise prepara um café, Victor se lamenta sentado à mesa, cabeça entre as mãos.)

"Detesto sentir pena de mim."

(Está acostumado, mas não se acostuma.)

— Não acredito que esteja acontecendo comigo. Isso não podia acontecer. Era a única coisa que não podia acontecer. Quer dizer: claro que podia. Aliás, só podia. Andar de trem na Bolívia é pedir pra ser furtado. O que mais se devia esperar? Furtado no trem e maltratado pelos guardas. Vincent, aquele traidor, havia me dito que a Bolívia é um dos países mais interessantes do mundo. Viva a Bolívia!

— Bem-vindo ao mundo real.

— Goza, vai. Não foi a sua mala italiana, não foram seus ternos de grife, não foram seus perfumes franceses, não foram

— Para de resmungar! Você não pode ficar refém dos seus caprichos. Pelo menos, roubaram só o que estava na mala. Imagina, você queria trazer todas; quase brigou comigo.

— Ah, não força. Eu nem queria vir.

— Está insinuando que te forcei a vir?

— Tô chateado, só isso.

— Você está chateado, e com razão. Mas nem por isso precisa ser grosseiro comigo.

— Desculpa.

— Café.

— Já pensou se o passaporte, os cartões de crédito, meu cartão de débito internacional, o dinheiro e as minhas coisas de valor estivessem na mala?

— Não estavam.

— Por acaso.

— *Mon chéri*, não foi por acaso! Foi porque *eu* coloquei tudo na sua mochila pequena. E, se você ficou com ela o tempo todo, também não foi por acaso.

— Foi porque *você* disse pra eu nunca largá-la.

— Isso. Gostei de ouvir. Um pouco de humildade não faz mal a ninguém.

— Grande consolo.

— Consolo, não. O que aconteceu conosco nesta viagem tem nome: aprendizado.

— Ah, é? E posso saber o que aprendemos com os ladrões?

— Não se deve ter nada que desperte a cobiça alheia.

— Ah, eu sabia: tava demorando o sermãozinho! Primeiro Vincent, agora você. Qual é, hein? Estão de complô contra mim? Agora todo mundo acha que tem alguma coisa pra me ensinar!

— Você não entendeu.

— Não? Então o que é? Vamos nivelar o mundo pela miséria? Ótimo, assim ninguém rouba nada de ninguém.

— *Chéri*, você pode ter o que quiser, mas não deve sair por aí se exibindo, provocando quem nada tem. É só uma questão de segurança.

— Não posso usar o que é meu, comprado e pago com o meu dinheiro, só porque os outros não têm igual?

— Quanto mais você se agarrar aos objetos que cultua e com mais força os proteger, mais chamará a atenção dos ladrões. Desenvolva uma relação natural com eles, essa será sua maior proteção contra o roubo.

— O problema sou eu, então, e não os ladrões?

— Você já ouviu falar em injustiça social?

— Para, para! Eu nunca tirei nada de ninguém. Olha aqui, ó, eu estudei a vida toda, me formei em Direito, passei num concurso público, vou ter um bom emprego. O que eu tenho a ver com injustiça social?

— Mesmo que você não queira, a violência chega até você. E a maior fonte de violência no mundo é a impunidade dos ricos e a desesperança dos pobres.

— Ah, é?

— Chega! Vou me deitar. Lave a louça. Teremos muito a fazer amanhã.

(Victor fica no dormitório masculino e Louise vai para o feminino. Há apenas dois dormitórios no hostal e um quarto de casal, que permanece vazio. Cansados da viagem e das discussões, com os policiais e entre si, caem logo nos beliches.)

"Dormir sem tomar banho, mais esta. Será que isto pega?"

41

Comisariado

— Passar a manhã numa delegacia!

— Faz parte.

(Está claro que a mala não será recuperada, mas a polícia faz questão de preencher formulários e mais formulários, anotar tudo o que foi roubado, encher os papéis com selos e carimbos. Um selo, um carimbo; outro selo, outro carimbo. E mais. Muito mais. O policial, com uma farda desbotada e meio desabotoada, rubrica a papelada com uma caneta esferográfica roída em uma das pontas.)

— Droga!

— O que foi, Victor?

— Me lembrei duma coisa. Depois que você arrumou a mala eu incluí a minha carteira de identidade no bolsinho interno.

— Só você!

— Eu já havia perdido a carteira de motorista e agora mais esta. Como fico?

— Fica assim mesmo, sem elas. Quando voltar ao Brasil você terá outra identidade.

"Que delegacia suja. Mais do que suja. Fétida. Teias de aranha em cada canto. Amontoadas. As aranhas já se foram, ficaram as moscas, enredadas, mortas em vão. Olha as manchas nas paredes! Manchas sobre manchas. Úmidas. Maré de manchas. Um mar de manchas. A Bolívia é um mar de manchas. Com cheiro de urina. Onde vim cair."

— Comissário, cuide bem do gringo *brasileño*.

— Não gosto que me chamem de gringo.

— Ah, não? E o que você é? Um nativo? Vamos embora antes que esses caras comecem a nos extorquir dinheiro.

— A queixa está registrada, *señor*, agora falta pagar esta pequena taxa.

— Taxa? Que taxa?

— Os selos. É assim, os selos. Ali, naquele guichê.

— E a minha valiosa mala?

— Vamos encontrá-la, *señor*.

— Victor, quer saber de uma coisa? Você vai ficar uma gracinha vestido de boliviano.

— Ah, não enche.

— Vamos cair fora. Esquece os selos. Vamos comer algo. Depois, enquanto você lava a louça, atualizo meu blog.

— E as minhas roupas? Tô morrendo de frio!

— Vamos comprar de tarde.

42

Diário dos Andes

Ela só come salada, meu Deus! Preciso achar um restaurante, senão vou desmaiar de fome. Mas! Nem acredito que estou escrevendo estas merdas. Se entrasse alguém neste quarto, eu enchia de porrada. Aí nem precisava desabafar num diário. Ultimamente tem me acontecido cada uma. Minha mãe tinha razão, como sempre: eu devia ter ficado em casa. Fi-ca-do-em-ca-sa. Entendeu? Fi-ca-do-em-ca-sa. Sabe o que eu gostaria que acontecesse agora? Que Louise fosse pro inferno. Que todo mundo fosse pro inferno. Bem, possivelmente eu iria atrás. Ultimamente é só o que tenho feito, ir atrás desses gringos de mierda. *Não, o Vincent era legal. Louise também é legal. Meio pancadinha da cabeça, mas gosto dela. E por onde andará Dulce? Vincent disse que eu a encontraria, estamos percorrendo os caminhos interessantes. Fico imaginando os desinteressantes! Bem, então vamos combinar assim, ó: só os bolivianos vão pro inferno. Ah, mas isso é pouco, no inferno eles já estão. Esta é a vantagem que tenho sobre eles: posso ir embora. Que vão à puta que os pariu. A começar pela maldita polícia. Vou deixar de fumar. Agora é pra valer. Palavra de honra. Elas verão, vocês todas. Não perdem por esperar. Ah, fodam-se.*

43

Favela da Rocinha — Rio de Janeiro

— Cê aí, mermão, quando chega o próximo carregamento?

— Semana que vem.

(Conversam na janela, controlando o movimento lá embaixo.)

— Tá certo?

— A mercadoria tá co'nosso home na Bolívia, em Oruro. Alfredão tá providenciando as tais embalagens.

— Bolívia, Bolívia. Os cliente tão aí reclamando, esta mercadoria não é da boa.

— É o que temos. Depois que estourou a rota colombiana, é o que temos.

— Confia nesta porra de gente?

— Sim, são dos nossos.

— É bom que sejam, mesmo. Bom que sejam!

— Qualé, mermão? Tá desconfiado de quê? Isto é comigo. Faz a tua parte que faço a minha.

— Acho bom, mesmo. Senão...

— Senão o quê, mermão? Tá me ameaçando, tá?

— Tô só avisando, cacete.

— Guarda teus avisos pras tuas formigas, porra!

— Vamulá, vamulá.

44

Cientro Histórico de Oruro

— Que belo dia, *chéri*. Estou adorando a claridade do altiplano.

— Tá frio.

(Caminhar pelas alamedas com sua arquitetura colonial repleta de balcões é um belo passeio, apesar dos batedores de carteira e das crianças pedindo dinheiro.)

— Ei, Victor, procure não dar esmolas na rua.

— Por quê?

— Incentiva a mendicância, isso não é bom nem pra eles. Ao frequentar o comércio popular, como fazemos, já estamos ajudando essa gente.

(O centro comercial é pequeno, mas há muitas lojas de roupas típicas do altiplano. Compram uma mochila e vão enchendo com calças, camisas, ponchos, gorros, meias...)

— Olhe só este blusão. Você tem ideia de quanto custaria em Quebec?

— Não tenho e nem quero saber.

— Grosso.

— Vai comprar a loja toda?

— Não faça drama. Você se vestiu da cabeça aos pés e gastou menos do que custa uma das suas camisas de grife.

— Ah, mas não dá pra comparar!

— Claro que não dá pra comparar.

45

Restaurante El Viejo Aimará

— Quer jantar comigo num lugar especial?

— Quero.

(Victor descobriu um restaurante vegetariano.)

"Ela não tem culpa de eu andar tão irritado. É a viagem, tudo é muito cansativo, não tô acostumado. Mas ela, pelo menos, é legal."

(Victor, com o cardápio na mão, decide fazer uma surpresa.)

— As porções são pra dois?

— Sim.

— Então nos traga um estrogonofe de soja com molho branco.

"O que eu vou comer só pra agradá-la! Agora virei vegetariano. Tô bem arrumado. Mas ela merece, tá uma gracinha."

— Garçom, o molho branco é feito de queijo?

— Sim, *señora*.

— Então eu prefiro comer só uma salada. Vocês têm suco de laranja natural?

— Eles têm, Louise, claro que eles têm. Estamos no melhor restaurante vegetariano da cidade, aqui eles têm tudo que você desejar.

— Victor, por favor, não fique chateado. Você foi muito gentil em me convidar pra sair, e estou adorando. Prometo te acompanhar no mate de coca.

— Qual o problema com o queijo?

— Sou vegana. Não só não como carne, mas nada que tenha origem animal.

— Isso é uma religião?

— Não, não é uma religião. Nós só não comemos nem utilizamos nada que provenha dos animais, mesmo que isso não implique crueldade. Nosso princípio é que os animais devem ser livres e viver integralmente até o fim. Nada de vacas felizes até o dia do abate. O lema é "não queremos jaulas maiores; queremos jaulas vazias".

— Jaulas vazias é bom.

— *Jaulas vazias* é o nome do livro do filósofo Tom Regan, que trata do tema. Divergimos dos chamados bem-estaristas porque eles entendem que, desde que não sofram, os animais podem ser usados pelos humanos.

— Você se importa se eu tomar um vinho?

— Claro que não.

(Entretido com Louise, ela conta a viagem que fizera ao Tibete no começo do ano, só na hora do chá ele percebe que falam português na mesa ao lado. Presta atenção no casal, parece familiar.)

— Me desculpem, mas são brasileiros?

— Por quê?

— Também somos.

— Ah! Vocês conversavam em espanhol e, com estas roupas, não percebemos.

— Quer dizer, eu sou brasileiro. Esta é Louise. Ela é canadense, mas fala espanhol.

(Louise fica surpresa. Falam português, mas ela nada entende, embora o som das palavras seja o mesmo do espanhol.)

— Acho que os conheço de algum lugar.

— Você também não me é estranho.

(Demora um pouco, mas lembram. Victor os havia fotografado em Foz do Iguaçu algumas semanas antes.)

— Ficou boa a foto?

— Completamente fora de foco.

— Ah, que pena, a senhora me desculpe.

— Não se preocupe. Voltamos ao local, e o Alfredo pediu pra outra pessoa nos fotografar de novo.

— Estão em lua de mel?

— Ah, não. Somos comerciantes. Importávamos equipamentos eletrônicos de Ciudad del Este, mas o governo diminuiu a cota livre de impostos e resolvemos mudar de mercado.

— E o que fazem agora?

— Importamos máscaras artesanais indígenas de Oruro pra escritórios de decoração no Rio de Janeiro.

(Victor comenta sua roupa boliviana, riem um pouco, e em alguns minutos ele conta suas peripécias ao casal de empresários brasileiros.)

— Ainda bem que guardei as duas malas, com as coisas valiosas, no hostal em La Paz. Quando voltar, daqui a uma ou duas semanas, vou buscá-las.

"Que vinho bom, pena não beberem. Eu tô acostumado com esta maldita dor de cabeça, nem ligo, mas, se eles não querem beber, melhor não insistir, podem achar indelicado de minha parte. São tão gentis."

— Qualquer dia vamos conhecer La Paz. O hostal onde você se hospedou é bom?

— Ótimo!

— Pode nos passar o nome e o endereço? Se não for incômodo.

— Claro. Ó, este é o cartão deles. Digam que são meus amigos e peçam um desconto.

— Quem sabe você escreve um bilhetinho aqui atrás nos apresentando?

— Boa ideia. Se nós, brasileiros, não nos ajudarmos no exterior, quem vai ajudar, certo?

— Certo.

(Confraternizam com mate de coca, a primeira vez que Victor toma a bebida contra os sintomas da altitude.)

"Se eles tomam, também posso beber."

— Vamos passar em Cochabamba, temos alguns negócios por lá. Você sabe como são essas coisas. Se der tempo, iremos a La Paz.

— Vão mesmo. Paco ficará contente com a presença de vocês.

46

Diário dos Andes

Estou arrasado, meu plano afundou. Estava indo tão bem. Encontrar o casal brasileiro me animou, fazia tempo que não ouvia alguém falar português. A comida estava boa e o vinho ótimo, embora tivesse bebido sozinho. Mas! Não ia pagar e deixar na garrafa. Passei o jantar esperando a hora de voltar ao hostal e convidar a Louise pra nos transferirmos pra suíte. Afinal, deixei de fumar, e ela notou. Só não esperava que estivesse ocupada. Se pelo menos eu tivesse um cigarro... Não. Não. Não!

47

Central Telefónica de Oruro

— Alô.

— Alô, mamãe.

— Não acredito. Lembrou que sua mãe ainda existe?

— Mamãe, tá ruim a ligação, quase não ouço a senhora falar.

— Mas eu estou aqui, sozinha nesta cidade. Onde você está?

— Tô bem, fique tranquila. Alguma novidade sobre o concurso?

— Não, tudo igual...

— Não tô ouvindo. Vou desligar.

— Espere, não desligue.

— O que foi? Tô ouvindo mal.

— Seu amigo, aquele do carro conversível, se acidentou no sábado de madrugada. Parece que estavam apostando corrida na radial e bateu numa árvore. Não sei bem, não saiu nada no jornal. Mas é o que todo mundo fala.

— Ele se machucou?

— Ele não, mas a menina que estava junto foi parar no hospital.

— Quem era?

— Não sei. Dizem que é menor, por isso tanto mistério. Mas ninguém sabe quem é. Parece que estava bêbado. Dizem que se negou a fazer o exame do bafômetro.

— Tá certo. Ninguém pode ser constrangido a gerar provas contra si mesmo.

— Então ele estava bêbado.

— A ligação tá ruim, vou desligar.

48

Diário dos Andes

Estou chocado: meus amigos se envolveram num acidente de carro, uma pessoa está ferida. Uélinton sempre foi agressivo na direção, se deixassem passaria sobre os outros, mas nunca imaginei que fosse bater numa árvore. Mas! O destino é irônico. Mesmo bêbado, ele sempre ganhou todos os rachas que fizemos, e logo ele foi pagar esse mico. A BMW em pedaços, ele deve estar arrasado.

49

Ruta 1 — Ómnibus para Potosí, via Chállapata

— Vamos de ônibus?

— Vamos.

(Victor não arrisca discordar da canadense.)

"Pior do que viajar de trem, impossível, embora aqui tudo seja possível, até piorar. Talvez seja uma roubada ainda maior, mas não custa tentar; afinal, é o que venho fazendo desde que saí de casa. Estamos na estrada, é assim que as coisas funcionam, sempre dizia Vincent. Ah, aquele sabe das coisas. Das coisas da estrada, das coisas da vida. O que dá no mesmo. Estrada e vida, prolongamentos um do outro."

(Um formigueiro de gente entra e sai da estação rodoviária, outro tanto se enreda nas bagagens; esperam a vez de embarcar. Victor e Louise ficam por ali, bisbilhotam uma coisa e outra. Preços, destinos, horários; ela gosta do ambiente. Ônibus chega, ônibus parte; pessoas indo e vindo. O mundo em movimento atrai a canadense. Embarcam quase no horário. O velho ônibus parece andar mais para os lados do que para a frente, tanto sacode.)

"Com a mochila embaixo do banco, posso relaxar."

(A cidade fica para trás. Louise cochila, cabeça apoiada no ombro do brasileiro. Ele também não resiste ao sono.)

"Assim, chegamos mais rápido."

(A viagem, que parece não ter fim, enfim termina: chegam à noitinha.)

50

Potosí — 4.060 metros de altitud

— Quem sabe vamos pra um hotel?

— Hotéis são mais caros, talvez o dobro do preço.

(No hostal indicado no guia de viagem de Louise, só há dormitórios, nada de quartos privados. Ela sempre escolhe o alojamento mais barato, e o conforto é mínimo. O charme fica por conta da velha mansão colonial, construída em torno de um grande pátio. As portas dos quartos saem na varanda interna, em frente ao jardim. Entre as plantas bem-cuidadas, uma fonte jorra água e atrai os pássaros.)

— Mesmo assim, a diferença é mínima, tudo é barato.

— Victor, você precisa mudar um pouco seus padrões de referência.

— Por quê? Me acha perdulário por estar disposto a gastar uns bolivianos a mais pra ficar bem instalado?

— Duvido que possamos encontrar um hotel num lugar tão bonito. Mas nem me refiro a isso, não.

— Se refere a quê?

— Se você raciocinar pelo valor do dinheiro, a diferença entre uma diária de cinco e outra de dez dólares é pequena. Mas, se você raciocinar em diária, a diferença é um dia a mais na estrada. Assim, se você tem dinheiro pra viajar um mês, pode viajar dois. E essa é uma grande diferença.

— Sabe o que me irrita em você?

— O quê, *mon chéri*?

— Seu tom professoral!

— E sabe o que admiro em você?

— O quê, minha querida?

— A sua disposição em aprender coisas novas.

(Louise prepara uma sopa, bebem mate de coca, fazem alguns planos para o dia seguinte e caem nos beliches. Um em cada lado do pátio.)

"Que desperdício."

— Que desperdício!

51

Hostal Pachamama

— *My God!*

— *Hi?*

(Victor reencontra Edward. Ele manda fotos para a redação da revista, em Washington, e também reconhece o brasileiro.)

— Você é o amigo de Vincent.

— E você é o fotógrafo da *National Geographic*. Reconheci pelo chapéu.

— Ah, meu panamá de aba estreita. Comprei no Equador, quando fui lá fotografar a erupção do Tungurahuá.

— Tem notícias de Vincent?

— Está no Peru. Estou em contato com a esposa dele, na África. Meu próximo trabalho será sobre alguns campos de refugiados no Quênia, e ela está me ajudando.

(Conversam quando Louise chega.)

— *Hola.*

(Feitas as apresentações, combinam jantar num restaurante vegetariano.)

— Aqui perto, no calçadão ao lado da catedral. Almocei lá, é bom.

(Ele passará a tarde envolvido com o trabalho, o sistema é lento. Victor e Louise desejam conhecer a cidade, em especial a Casa Real de la Moneda, a principal atração de Potosí e um dos melhores museus bolivianos.)

— Por que você não me disse, Victor?

— Disse o quê?

— Que fala inglês tão bem.

— Tô me esforçando.

52

Periferia de Oruro

— O pessoal no Rio tá pedindo pra trocarmos as embalagens, tá ficando manjado demais.

— Ah, que isso, as máscaras são um disfarce perfeito.

(O casal controla pessoalmente o empacotamento das máscaras.)

— Não se referem às máscaras, mas às caixas. Estão se repetindo, precisamos pensar num jeito de enviar as máscaras de forma mais sutil. Quem sabe trocarmos por malas? Ou algo assim?

— Você disse malas?

53

Jardim do hostal

— Me doem as costas. Deve ter sido por subir e descer estas ruas com a mochila cargueira.

— Como você reclama, Victor!

(Louise toma sol. É cedo, única hora que podem se expor aos fortes raios ultravioleta do altiplano. Victor tenta ler *Os anos de aprendizagem de Wilhelm Meister*, um dos livros que Vincent deixou com ele. Está impressionado com a obra de Goethe, em especial os conflitos do rapaz com a sociedade.)

— Você tá acostumada, eu não.

— A mochila nem é tão grande.

— Com tantas compras, ficou pesada. E ainda precisei carregar a mochila pequena com as coisas de valor.

— É melhor do que deixar no quarto.

— Preciso me acostumar.

— Você ainda vai adorar a experiência de viajar assim. Ser mochileiro é um estado de espírito, uma filosofia de vida.

— Filosofia de vida? Viajar com pouco dinheiro virou filosofia de vida? Gostei do eufemismo.

— Quando você viaja com pouco dinheiro porque não tem dinheiro, ah, aí sim é uma droga: você é mochileiro por exclusão. Mas, quando você viaja com pouco dinheiro pra se manter próximo dos costumes locais, aí você é mochileiro por opção. Entendeu a diferença?

— Você leva jeito pra esse tipo de vida. Quanto a mim, não tô muito convicto.

— Não está gostando da viagem?

— Tô me esforçando pra gostar.

— Está arrependido?

— Não, não tô arrependido. Se estivesse arrependido, não estaria me esforçando pra gostar.

— Eu adoro as coisas simples. A simplicidade é o estágio mais elevado da sofisticação.

— Quanto a isso não há duvida.

— Então, qual é o problema?

— A dor nas costas, provocada pela mochilona.

— O posicionamento e ajuste corretos da mochila são vitais pro conforto em qualquer situação. Você deve colocá-la de modo que o peso fique bem distribuído. Não é apenas encher de tralhas e jogá-la nas costas. E nunca se esqueça de manter os cadeados fechados.

— Nem precisa dizer.

— Falta comprar cadeados pra mochila pequena. Quando ela estiver nas suas costas, em meio a uma multidão, é fácil alguém chegar por trás e abrir o zíper. Guarde a chave nos bolsos, junto com o dinheiro trocado e as xerox.

— Dinheiro trocado?

— Essas pequenas notas que você usa a todo instante.

— Guardo meu dinheiro na mochilinha.

— Pra este povo saber onde está todo o seu dinheiro sempre que você paga alguma coisa na rua?

— Você falou em xerox?

— A xerox do passaporte, dos cartões de crédito e de débito, do atestado de vacina, de algum outro documento. Tudo isso.

— Não tenho xerox de nada disso.

— Você precisa ter cópia de todos esses documentos, mantidas separadas dos originais, de preferência no bolso. Caso você perca o passaporte, ou ele seja roubado, você só conseguirá um de emergência em algum consulado brasileiro se tiver uma xerox da folha de rosto, com o número e seus dados. Ou então outro documento com foto, original ou xerox. E, se você perder os cartões, pra cancelá-los vai precisar dos números e do telefone pra onde ligar.

(Edward chega, interrompendo a conversa.)

— Não vamos poder viajar amanhã; os mineiros entraram em greve.

— E o que *nós* temos a ver com isso?

— Victor, há tempo eles lutam por melhores condições de trabalho nas minas, e o governo nada faz. Então, pra dar veemência ao protesto, bloquearam as estradas que dão acesso à cidade; ninguém entra, ninguém sai.

— E o governo, o que vai fazer?

— O presidente disse que não fará uso da força pra reprimir as manifestações. Ele quer dialogar com os grevistas.

— Dialogar? Se quiserem fazer greve, que façam, mas não fechem as estradas. Nada temos a ver com a miséria deles.

— Não, *chéri*?

— Ah, essa não! Não me venha dizer que sou culpado pelos caras ganharem pouco e morrerem nas minas.

— Sem estresse. Tenho compromisso com o pessoal no Aconcágua, não posso me atrasar muito. Precisamos achar um jeito de sair da cidade.

— Ou então curtir este belo jardim mais alguns dias. Adoro sol.

— Ah, é? E fazendo o quê?

— Ora, Victor, quem sabe você aproveita e lê um pouco?

— Claro! Vamos criar um grupo de estudos pra resolver os problemas dos mineiros.

— Ah, um *petit comité*. Está aí uma boa ideia. E, pra começar, vou te emprestar um livro.

— Lá vem a professorinha.

— Você já ouviu falar em Eduardo Galeano? O livro dele vai te fazer bem; você precisa descobrir umas novidades sobre este continente.

— Enquanto vocês discutem, vou pegar meu equipamento e sair às ruas. Vá que tenha confrontos com a polícia? Com sorte, faço umas boas fotos.

— Vou buscar o livro pro Victor se distrair. Assim, ele não atrapalha o meu bronzeado.

54

Restaurante Familiar Sagrada Família

— Lou, não tô me sentindo bem do estômago, hoje não vou almoçar. Vou dar uma caminhada pela cidade.

— Aproveita e faz uma dieta, sempre é bom.

(Victor sai do hostal e logo chega ao calçadão, onde fica a maioria dos restaurantes de Potosí. Escolhe um no segundo andar, sobre uma loja de ferragens, sobe a escada e senta-se ao balcão, com uma bela vista para a catedral.)

— Que vai beber, *señor*?

— Uma cerveja bem gelada.

— Potosina?

— Pode ser.

— Litro?

— Pode ser.

— E pra comer?

— Churrasco de lhama.

— Prefere a carne bem passada, ao ponto ou malpassada?

— Ah, de qualquer jeito, desde que seja carne.

(Ao voltar para o hostal, ele dá uma generosa esmola a um mendigo em frente à catedral.)

55

Cerro Rico

— Pessoal, tenho boas-novas: a greve terminou e os bloqueios foram suspensos.

— Até que enfim!

(Victor está acabando a leitura do livro emprestado por Louise quando Edward chega com a notícia.)

— Fez boas fotos?

— Deu pra registrar os mineiros apanhando da polícia.

— E tempo suficiente pra Lou se bronzear.

— Ah, Victor, não reclama. Você até conseguiu ler um livro todinho.

— Engraçadinha.

— Você não é dado a leituras!

— Tá brincando? Só nesta viagem li quatro livros!

— Gostou?

— Chocante.

— Que livro você deu pra ele, Lou?

— *As veias abertas da América Latina.*

— Ah, chocante mesmo.

— O livro conta que a Espanha levou dezesseis milhões de quilos de prata, fora o contrabando. E que na sua extração morreram oito milhões de indígenas escravizados pelos espanhóis. Eles eram arrancados das suas comunidades e, com a mulher e os filhos, levados pra extração da prata no Cerro Rico, de onde não saíam vivos.

— Aquele lá, ó. Você pode ver o cume. Quer conferir um pouco da história contada no livro?

— Como?

— Enquanto fotografava, descobri que a mineração no Cerro Rico, de onde toda essa prata foi extraída, continua; agora organizada por diversas cooperativas de mineiros.

— Ainda tem prata?

— A prata acabou, mas ficaram zinco e estanho, que não interessavam aos espanhóis graças à grande quantidade de prata.

— Podemos entrar na mina?

— Sim, Lou. Os próprios mineiros organizam a visita mediante um pagamento. Mas, olha, me disseram que é deprimente. Eles trabalham com as mesmas ferramentas da época dos espanhóis e estão expostos a todo tipo de gás. Ninguém sobrevive a mais de dez anos na mina.

— Eu gostaria de ir. Quero ver se é verdade o que tá escrito no livro.

56

Diário dos Andes

Visitei a mina no interior do Cerro Rico, uma infinidade de túneis mal construídos. O chão dos corredores está coberto de lama contaminada com produtos químicos, e o ar é tóxico, sem falar nas explosões. Permaneci alguns minutos lá dentro e saí apavorado: os mineiros estão roendo a montanha, ela parece um queijo suíço; não sei como não desaba. Eles localizam os filões de minério, explodem a parede com dinamite e depois quebram a rocha com talhadeira e martelo, tudo feito a mão. Colocam as pedras num carrinho e levam pra fora da montanha, onde vendem o minério bruto às mineradoras. Fiquei impressionado com o trabalho deles, alguns bem jovens, quase crianças! As condições são as mais insalubres possíveis. Não admira que tantos já tenham morrido e, pelo jeito, outros continuarão morrendo. Só uma coisa não entendo: como essa pobre gente se sujeita a esse tipo de vida? É revoltante. Preciso ler aquele livro sobre a greve dos mineiros, que Vincent me falou. Émile Zola, é isto?

57

Cochabamba — 2.583 metros de altitud

— Pronto.

— Leia, quero ver como ficou o e-mail.

"Amigo Paco, não devo mais voltar a La Paz. Daqui sigo direto para o Brasil. Minha irmã e o marido dela, que estão na Bolívia em lua de mel, vão passar no hostal e pegar as malas. Em anexo, os dados do meu cunhado. Confira bem, não vá entregá-las à pessoa errada. Abraços. Victor."

— Tá bom. Pode enviar.

58

Ruta 701 — Ómnibus para Uyuni, via Pulacayo

— Farei boas fotos, pois me disseram que a estrada é bonita.

— Estrada bonita? Quero só ver.

(A rodovia segue o desfiladeiro, o terreno a cada metro fica mais árido. Como se fosse possível. Mas é. Acaba o asfalto, e a estrada nas encostas íngremes e pedregosas sacode o velho ônibus.)

"Vamos assim até Uyuni? E se despencarmos nestes precipícios? Não faz o menor sentido eu estar aqui, me arriscando por nada."

(Sempre que uma ravina se intromete em meio aos desfiladeiros amarronzados surgem as lhamas, em grande quantidade. Umas levantam a cabeça, outras se mantêm alheias à passagem do ônibus, concentradas na grama que chegou com as chuvas do verão. Ovelhas e alpacas, mais raras, pastam ao redor.)

"Animais interessantes."

(O ônibus emerge no topo do planalto e o desnível do terreno diminui. Ao longo da estrada um desfilar de montanhas, listradas com rochas azuis, amarelas, vermelhas e verdes, mantém o olhar de Victor preso à janela.)

"Nunca imaginei que pudesse haver montanhas coloridas. Deve ser o minério, aflorando na superfície. Como podem ser tão pobres se a terra é tão rica? Eu não conhecia montanha desprovida de vegetação, agora é só o que tenho visto."

(As nevascas descolorem as encostas, o horizonte azul fica recortado por cumes cobertos de gelo; terra e nuvens se fundem. Victor contempla os picos nevados com seu olhar tropical.)

"Que coisa!"

(Ele também não conhecia os animais da altitude, agora até aprendeu a diferenciar as lhamas das alpacas cobertas de lã. O porte das lhamas, sempre olhando para o horizonte, dá certa dignidade ao animal. É um mundo à parte, pelo menos para quem vem de outra parte.)

"É, é bonito. Ted tem razão, a estrada é bonita; mais uma novidade."

(Cruzam com um caminhão carregado com sacos, animais domésticos e passageiros. Alguém na carroceria escuta um rádio tão alto que se ouve a música no ônibus, quando emparelham. Victor está acostumado com o som dos charangos e das quenas, grupos de bolivianos se sucedem nas ruas de Brasília.)

— Boas fotos?

— Seriam melhores não fossem os solavancos do ônibus.

— Quanta pobreza! Olhem só os casebres.

— No Brasil não há casas assim?

— Assim, feitas de taipa, não. Casas construídas com barro e palha não existem mais no Brasil. Pelo menos onde moro.

(O ônibus quase não para, ninguém mora por ali. Quando buzina, é para espantar as lhamas da estrada. Os bolivianos dormem, os gringos conversam. Às vezes, discutem.)

59

Pulacayo — 4.255 metros de altitud

— Vamos parar neste povoado. Será bom pra espicharmos as pernas e tirarmos umas fotos.

— Deve estar um gelo. Se tá frio dentro do ônibus! Pra complicar, voltou minha dor de cabeça.

(Antigo centro mineiro, uma placa na entrada ainda chama de "a mais famosa mina de prata do século XIX", Pulacayo não passa de uma vila quase fantasma. Os únicos atrativos são as carcaças dos trens abandonados, entre eles um assaltado por Butch Cassidy e Sundance Kid.)

"Que fim de mundo. O que tô fazendo aqui?"

(O ônibus estaciona em frente a um comedor, hora de almoçar.)

— Viajar pelo interior da Bolívia é assim: perde-se tudo, menos a hora do almoço.

— Antes de almoçar, Ted, vamos tomar um mate de coca. Também estou me sentindo desconfortável.

— Ah, então não é só eu.

— Qual o problema, *chéri*?

— Nada, nada.

— Em meu guia está escrito que a *El Chiripa*, primeira locomotiva a vapor importada pela Bolívia, na época da mineração, está abandonada em algum lugar por aqui.

— Se você quer mesmo fotografar locomotivas enferrujadas, espere chegarmos a Uyuni, onde há um cemitério de trens. E não são apenas máquinas a vapor, mas vagões e tudo o mais.

— Falou a professora.

— Não complica.

(Após o mate de coca, pedem cazuela de ave, o prato do dia, e único; uma sopa de legumes, verduras e um pedaço de carne. Louise pede sem a carne, mas só prova. Edward come o prato dele e o que sobrou dos pratos de Victor e Louise. Bebem refrescos, a altitude exige que se hidratem. E vão em frente.)

— O que você está lendo, Ted?

— Estou relendo *O retrato de Dorian Gray.*

— Você gosta de Oscar Wilde?

— Oscar Fingal O'Flahertie Wills Wilde. Gosto tanto dele quanto da obra.

(O ônibus desce pelo antigo lago Minchín, um desnível e tanto até chegarem a Uyuni. Eles começam a se sentir melhor. A dor de cabeça se vai, os olhos param de lacrimejar e as fossas nasais desbloqueiam por completo. Ainda estão em alta altitude, mas para quem vem de Potosí é um alívio. Um pouco mais e a aclimatação forçada na travessia mostrará seus efeitos benéficos.)

"Paciência, Ted, paciência. Quantas vezes fiquei imóvel, horas e mais horas, pra tirar a foto ideal? Haja paciência."

(A poeira desbota o colorido dos veículos e das pessoas por um longo tempo.)

"É bonito, a miséria tem uma cor original. Mas, pra eles, deve ser muito triste."

(Começam a avistar, ao longe, uma imensidão plana e branca refletindo o céu azulado do seco altiplano.)

— O Salar de Uyuni.

(Desembarcam em Uyuni, a cidadezinha na cabeceira do salar, ao entardecer. Uma desolação só. No meio do deserto. No meio do nada. No meio de um vento gelado, denso em poeira levantada das ruas sem calçamento.)

— Que desolação, *mon chéri*!

— E agora, tá feliz?

60

Zürich — Schweiz

— O pessoal está na sala de reuniões, só falta o senhor.

— Diga que estou indo.

(Ele vai até o banheiro, tranca a porta, tira dos bolsos a caixinha de marfim e o pequeno espelho com molde dourado; presentes de um amigo colombiano. Coloca o espelho sobre o balcão da pia e despeja uma pitada de pó. Retira da carteira um cartão de crédito e bate a cocaína, formando uma carreirinha bem fina. Guarda o cartão, pega uma nota de cem francos e a enrola, fazendo um canudinho. Abaixa-se sobre o espelho e aspira. Pausadamente. Aperta o nó da gravata e confere a imagem no espelho.)

"Estou bem. Não, bem é pouco: estou ótimo."

(Dirige-se à reunião, no andar de cima, na cobertura da torre de vidro mais sofisticada da cidade, tão alta que os carros lá embaixo parecem miniaturas. É seu último dia no banco antes das férias. Como sempre, está confiante como nunca. O gosto químico escorre pela garganta e ele sente os músculos se retesarem. Cresce de dentro para fora, de cima para baixo. Há calor em seu corpo.)

"É da boa, coisa boa. Show! Agora vem a melhor parte: O show!"

(Quando entra na sala cumprimenta os demais participantes da reunião como se ele fosse um deus e eles oferendas vivas entregues em sua homenagem. Sente-se ímpar entre seus pares. Tão eufórico quanto ele talvez apenas o seu chefe, sentado na ponta da mesa. Mas ser fluente na língua do investidor coloca o próprio chefe um degrau abaixo. Talvez mais. Ambos sabem disso, para a raiva de um e o sadismo do outro.)

"Imbecil."

(Pouco importa que diante dele estejam os diretores do banco e um dos maiores clientes, a quem ele precisa comunicar que parte da sua fortuna, investida na África, desceu pelo ralo porque o ditador foi derrubado e o novo governo nacionalizou as minas de diamantes.)

"Deixa comigo."

(Antes que o milionário e seus advogados se refaçam da má notícia ele cria uma boa, dita em bom português:)

— Senhores, trata-se apenas de uma reacomodação de ativos. Agora, vamos ganhar ainda mais dinheiro financiando a compra de armas pelo novo governo.

61

Uyuni — 3.669 metros de altitud

— Amanhã cedinho sai um caminhão pra Llica, no outro lado do salar, quase fronteira com o Chile. É possível uma carona, assim atravessamos o salar de leste a oeste.

— Uma carona?

(Louise conta a novidade na hora do jantar.)

— Não é bem uma carona, no sentido clássico. O caminhoneiro nos leva em troca de alguns bolivianos.

— Mas aí vamos cruzar os lugares bonitos sem parar. Eu prefiro alugar um carro, somos três, e explorarmos o salar por conta própria.

— Alugar um carro?

— Um jipe. Sei lá. Deve ter por aí. O dono do hotel pode nos ajudar. Existem diversos lugares no salar que merecem uma visita mais demorada. Pelo menos descer, caminhar. Ficar por ali, dar umas voltas. Tirar umas fotos. Só passar, olhando da carroceria de um caminhão, não tem graça.

— Também andei investigando.

— Você, *chéri*?

— Qual é o problema, Lou?

— Não, nada. Só não vi você sair do hotel a tarde toda.

— Tá me controlando?

— Esqueceu que estamos no mesmo quarto?

(Na pequena cidade só há um hotel decente. Ou o que se pode chamar de hotel. Decidiram ficar no mesmo quarto, o único que Victor considerou habitável. Mas será provisório, o americano viaja em seguida.)

"Aquele quarto vai pegar fogo! O proprietário o chama de suíte familiar, mas familiar é tudo o que ele não vai ser."

— O que você descobriu, Victor?

— Falei com o dono do hotel. Ted, ele me disse que há um tour organizado por uma empresa local. Passa o dia no salar, pra cima e pra baixo, visita os lugares bonitos e nos traz de volta de tardezinha. Eles conhecem os caminhos, não há perigo de nos perdermos. É mais seguro. E não achei caro.

— Um tour, *chéri*?

— E o que tem?

— Não vou sair por aí com um bando de turistas apressados.

— Eu sabia que você diria isso. E foi o que eu disse ao rapaz: olha, a minha amiga não vai sair por aí com um bando de turistas apressados. Então ele disse que, se quisermos, vamos só nós. Pagamos por seis, mas vamos sozinhos. E mesmo assim não é caro.

— Meu interesse maior é fotografar o vulcão Tunupa, ao norte do salar, que não deve estar no roteiro deles.

— Você já não fotografou um vulcão no Equador?

— Sim, mas esse quero escalar e fotografar lá de cima.

— Sempre leio nos jornais que esses vulcões explodem e botam o povo a correr.

— O Tunupa está extinto, não vai explodir.

— Você confia nele? E se ele decide fazer uma gracinha?

— Não vai explodir, está extinto. E seria bom pra minha aclimatação.

— O cara me disse que o roteiro fica a nosso critério. Se quisermos incluir algum local especial, sem problemas, o jipe nos leva até lá. Podemos definir tudo na hora de fechar o pacote. Aí você inclui o seu vulcãozinho apagado.

— Bem, se é assim, eu topo.

— Lou?

— Vou pensar.

— Ted, eu também perguntei se poderiam ir só duas pessoas.

— E?

— Pode. Mas pagam pelos seis. Mesmo assim fica barato; tudo aqui é barato.

— Vamos esperar a resposta da Lou.

— Também vou.

"Não vou deixar Victor estragar meu passeio. Eu sei por que implico tanto com ele: é porque gosto dele. É estranho. Como fui me afeiçoar assim, um cara tão desligado? Parece uma coisa, depois parece outra; feito peixe fora d'água. Será que foi por isso, por causa dessa fragilidade? Ou foi pelo olhar triste? O que atormenta a alma dele? Como pode esses olhos tão lindos emitirem um olhar tão melancólico? Não vai se abrir comigo, não tem maturidade emocional pra isso. É uma pena, eu gosto dele. Pode ser que com o tempo ele consiga botar essa dor pra fora e se tornar uma pessoa mais equilibrada. Quando isso acontecer, vou estar longe. É o problema das relações que se faz na estrada."

62

Colchani — 3.673 metros de altitud

— Espero que este calhambeque não estrague pelo caminho.

— Se estragar, Victor, você empurra.

(O velho Land Cruiser vermelho, com tração nas quatro rodas, sai de Uyuni com os três gringos no começo da manhã. Seguem pela estrada de chão, aos solavancos.)

— Ei, que animais são aqueles?

— Vicunhas, *don* Victor. São animais típicos do altiplano e nunca foram domesticados, ao contrário das lhamas e as alpacas. A lã dourada, tão fina quanto a seda, era utilizada na confecção das roupas dos reis incas, que as protegiam. Com a Conquista, os espanhóis passaram a caçá-las, e hoje estão na lista dos animais em extinção. É difícil vê-las por aqui. Tivemos sorte.

— Existem outros animais selvagens?

— Existem os guanacos, mas são raros.

— Veja, Ted, como são bonitas.

— Para, quero fotografar.

(Escobar para o jipe e Edward desce.)

— Ainda bem que viemos num carro próprio, senão Ted não teria esta chance.

— Por isso eu disse que não queria vir num tour cheio de turistas apressados.

(Pouco depois, estão em Colchani, um vilarejo na borda do salar.)

— Os homens trabalham na extração, secagem e empacotamento do sal; as mulheres vendem artesanato ao longo da rua principal.

(As demais vielas estão vazias, os casebres parecem abandonados. Escobar para o jipe em frente às tendas. Há outros jipes estacionados, os turistas lotam a calçada comprando suvenires.)

— Atrás das bancas há uma planta de processamento de sal, vocês podem visitá-la. No fim da rua tem um pequeno museu. Se quiserem comprar algo, sugiro a loja da cooperativa, na saída do museu. Vão encontrar artesanato feito de sal.

— Ah, eu sabia! Tour que se preze tem que passar por um shopping.

— Os produtos são bonitos, *doña* Louise. Há esculturas de vicunhas, condores, alpacas, flamingos, guanacos, lhamas... tudo esculpido em pedras de sal.

— Vamos pular esta parte.

(Os pães-duros seguem, para tristeza de Escobar.)

"Minha chance de faturar uma comissão se perdeu, hoje não será um dia dos mais lucrativos. Pelo jeito eles não têm onde cair mortos. Que azar, logo numa semana cheia de pagamentos. Estou acostumado com gente estranha, gringos de todos os lugares do mundo, cada qual mais esquisito, mas o trio ganha de longe. O fotógrafo cabeludo, meu Deus, de sandálias e meias nesta umidade, e, com esse lencinho de seda no pescoço e o chapéu de palha, parece um *maricón*. A moça de boné, santo Deus, com a saia colorida até os pés, não fosse tão magra se confundiria com uma *chola*. O paisano brasileiro, então, vestido com as apertadas roupas bolivianas, o gorro de algodão neste frio e a cara queimada pelo sol, mais parece um daqueles mascarados que desfilam em Oruro durante a *diablada*. Que tipos!"

(Para surpresa de Victor, o motorista estaciona na entrada do salar, em frente a um marco com os nomes de alguns turistas e três bolivianos mortos em um desastre poucos anos antes.)

— Como foi o acidente?

— Dois jipes bateram de frente. Não conseguiram parar a tempo, pois as rodas derrapam no sal.

— Morreram todos?

— Morreram os cinco israelenses que vinham num dos jipes e os cinco japoneses que vinham no outro, mais três bolivianos.

— E você precisava parar bem aqui?

— Preciso colocar uma proteção de plástico no para-choque dianteiro, abrigando o motor da corrosiva água salgada.

— Quantos anos duram estes jipes?

— Aqui, não mais que cinco anos.

63

La Paz

— Senhor Paco?

— Sim.

(O casal brasileiro se apresenta no Hostal Yatiri.)

— Sou o cunhado do senhor Victor. Esta é a irmã dele. Ele nos pediu pra apanharmos as malas, que ficaram aqui. Ele vai regressar direto pro Brasil. Me disse que enviou um e-mail pro senhor autorizando a entrega.

— Sim, recebi.

64

Gran Salar de Uyuni — 3.665 metros de altitud

— Que coisa!

— Não falei que era lindo?

(A paisagem surpreende Victor. Em certos lugares, o tapete de sal está coberto por uma lâmina de água, formada pelo degelo das montanhas ao redor. Por todos os lados, o cristal líquido reflete o límpido azul do céu do altiplano, longe da poluição, da poeira e das nuvens. O carro desliza, parece andar sobre um piso encerado.)

"Lindo mesmo. Mas dá medo. Se o jipe derrapa, é capaz de capotar."

(O motorista-guia-cozinheiro começa as explicações, quer uma gorjeta no fim da aventura. E, ele sabe, os gringos adoram suas histórias. Quase tudo verdade, só alguns toques especiais, para dar mais colorido à expedição.)

— E o Salar de Uyuni é a maior planície salgada do mundo. São cento e oitenta quilômetros de extensão por sessenta de largura.

(O sal os obriga a colocarem os óculos de sol. A água levantada pela roda bate na lateral do jipe, criando a imagem de um pequeno barco à deriva num oceano de espumas.)

“Que diferença da tórrida Brasília. Que coisa fantástica. Incríveis, estes lugares por onde temos passado. Dá medo, mas vale a pena. Bolívia, hein? Quem diria! E quase não vim. Não fosse a vontade de encontrar Dulce, não estaria na Bolívia. Nem aqui. Por onde andará a italianinha? Será que ela conhece o salar?”

(A sensação de desorientação é completa.)

“Tô perdido mesmo. Não que eu seja bom em me orientar, não; qualquer voltinha e tô perdido. Mas aqui é demais, não se tem a menor noção do lugar, se tá indo ou vindo. Se o motorista desse a volta e continuasse, pra mim tanto faria. Será que temos bússola?”

— Temos bússola?

— Não.

— Como o senhor se orienta?

— Sempre vivi na região. Trabalhava nas minas, depois na extração do sal e agora motorista. Desde que tirei a carteira, há quase um ano, dirijo no salar. E, se nos perdermos, poderemos nos orientar pelos vulcões, em especial o Tunupa, ao norte.

— Aquela coisa lá?

— Sim.

— Ted, o teu vulcão.

65

Ojos del Salar

— Olha só, são gêiseres?

— Não.

(Escobar diminui a velocidade do jipe.)

— O que é isso, então?

— São jatos de água gelada que rompem a superfície e formam esses filetes espumosos, uma espécie de olhos do salar. As erupções são contínuas, como se o fundo do lago estivesse respirando.

— Para, para! Preciso fotografar.

66

Hotel Playa Blanca

— Uma casa no meio do salar?

— É um antigo hotel construído com blocos de sal. Agora é um museu.

(Escobar para o jipe.)

— Vou entrar, quero fazer umas fotos.

— Desse jeito, não vamos chegar nunca ao tal vulcão.

— Está com pressa, Victor?

— Não, mas o frio tá demais. E este sol, meu Deus! Queima até pensamento.

— Passa protetor solar.

— Já passei.

— Passa mais, nesta altitude ele dura pouco.

— Sim, senhora!

— Ah, essa não!

— O que foi, Lou?

— Olha só, diversos jipes se aproximando.

— São os outros tours, só pode.

— Ted, vamos embora.

— O quê?

— Vem, vamos adiante, está chegando a turistada.

67

Isla de Pescadores

— Não é incrível, *chéri*?!

— É, Lou, é.

(Louise perde as referências; ela, que nunca se perde. Para onde olha, só vê a planície branca, que, no horizonte, se funde ao céu. Sabe apenas que está ao sul do Tunupa, cuja silhueta marrom paira no longínquo norte, feito miragem.)

"É lindo!"

(Chegam à Isla de Pescadores, no centro do salar. Coberto por uma floresta de cactos milenares, que atingem dez metros de altura, enormes rochas vulcânicas e rodeado por recifes de sal, o local abriga uma grande população de viscachas, um roedor parecido com uma chinchila.)

— Se vocês querem visitar o parque antes dos outros, se apressem. Vou preparar o almoço.

(Os três se espalham, há tempos não ficam acompanhados apenas de si mesmos. Aqui e ali, Edward vai sentindo novos choques de deslumbramento. Ele, que já vira de tudo no mundo, presta atenção em cada detalhe.)

"As praias brancas de sal, a vegetação, as rochas, os animais; nem de longe imaginava tanta beleza."

(Segue pelas trilhas que levam às partes altas, subindo pelas rochas da ilha até onde pode admirar a infinitude do salar. Monta o tripé, instala as câmeras e se realiza.)

“Que foto!”

(Lá embaixo, os jipes vão chegando e se posicionando em frente às mesinhas. Alguns motoristas instalam guarda-sóis, outros montam verdadeiras tendas com mesas grandes, onde várias pessoas podem almoçar. Há também os que deixam os clientes ao sol.)

— Se você não tivesse pechinchado tanto, agora não precisaríamos almoçar neste sol inclemente.

— Ah, *chéri*, diante desta paisagem de sal, que mal há em comer ao sol?

68

Espejo Mágico

— Ninguém atrás de nós.

— Agora, sim, longe desse bando de turistas, vamos curtir o isolamento do salar.

(A maioria dos jipes volta a Uyuni, está concluído o passeio de um dia, o preferido pelos turistas que chegam direto de La Paz. Alguns seguem para o sul, em direção às lagunas coloridas repletas de flamingos. Escobar aponta o Land Cruiser para o norte, na direção do Tunupa, e acelera pela solidão salgada.)

— Só espero que o jipe não quebre.

— Victor!

(É a vez de Victor viajar no banco da frente. Há pouco o que ver pelo caminho, Edward e Louise estão mais interessados em chegar logo ao Tunupa.)

— Ave mais estranha!

— É um flamingo, *don* Victor.

(Escobar desliga o motor. O jipe avança alguns metros, até ser freado perto das aves.)

— As melhores fotos que fiz até hoje são de flamingos, em especial na África. Até ganhei prêmios. Mas não imaginava vê-los aqui, nesta temperatura.

— Pensei que você estivesse dormindo.

— Eu, dormindo? Você não me conhece, Victor.

— Ah, qual é?, você chegou a roncar!

— Eu? Ah, que isso? Estava apenas hibernando.

(Escobar, ainda pensando na gorjeta, para o jipe em meio a um espelho d'água e sugere que fotografem o carro refletido no salar. Edward desce com as câmeras, e logo a brincadeira se transforma em uma sessão de fotos, onde todos são retratados com suas imagens duplicadas na água.)

— Que show!

— Valeu a pena molhar os pés.

(A falta de perspectiva, com chão e céu fundindo-se no horizonte, proporciona fotos bizarras: Edward coloca uma garrafa de cerveja no chão e manda Louise se afastar. Quando ela está a certa distância, pede que se apoie em uma única perna. Ele se coloca em um ângulo tal que, na fotografia, a garota parece estar se equilibrando sobre a garrafa.)

— Magia pura.

69

Volcán Tunupa

— É lindo.

— Até que enfim.

(No meio da tarde, aproximam-se do Tunupa. O vulcão marrom-amarelado se ergue a partir de um promontório na parte norte do salar, elevação que separa o Salar de Uyuni do Salar de Coipasa, uma formação menor a noroeste.)

"Será que Lou e Ted vão mesmo escalar o vulcão? Espero que não, melhor voltar logo pro hotel."

(Chegam a Jiriri, um povoado entre o salar e o vulcão, quase na encosta do Tunupa. Não aparece ninguém.)

— Vamos subir o vulcão, Victor? Há uma trilha que leva ao topo.

— Mas nem pensar.

— Eu e Louise vamos.

— Como queiram. Espero vocês aqui na aldeia. Deve ter algo interessante pra ver.

— Tem sim. Arqueólogos encontraram artefatos de cerâmica, ouro e cobre anteriores à chegada dos incas, prova de que os arredores do Tunupa foram habitados por uma antiga civilização bem desenvolvida. Com sorte, você acha alguma lembrança por aí.

— Eu não disse?

(Edward e Louise desaparecem montanha acima com uma agilidade que deixa Victor incrédulo.)

— Um dia vou escalar uma montanha, Escobar, mas não é agora.

— Esta é fácil, apenas uma árdua caminhada.

— Este é o problema: árdua caminhada é uma expressão que não combina comigo.

— A vista lá de cima é fantástica.

— Imagino.

— Há uma lenda curiosa neste lugar, *don* Victor. Uma lenda da época em que os incas dominaram a região.

— Os incas vieram até aqui?

— Vieram.

— Vamos entrar no jipe, tá frio. Você conta a história enquanto esperamos.

— É uma longa história.

— Vamos nessa. Nos sobra tempo.

— Pouco antes da chegada dos Conquistadores, o rei inca Pachacuti enviou o sobrinho Tupac Inca Yupanki pro sul com a missão de conquistar todas as terras que encontrasse. Tupac Inca Yupanki, além de poderoso guerreiro, era um gringo muito sábio: ele anexou o sudoeste da Bolívia e o norte do Chile sem encontrar resistência, pois sempre convencia os nativos a se integrarem ao grande império. Oferecia proteção contra os ataques dos indígenas que viviam mais ao sul. Em troca, os moradores pagariam impostos a Qosq'o.

— Faz sentido. É dando que se recebe. Conheço bem esse tipo de política.

— Bem aqui, onde estamos, aconteceu uma história incrível envolvendo o chefe inca Atahualpa.

— Aqui?

— Aqui.

— Aqui, onde?

— Aqui, onde estamos.

— Bem aqui?

— Bem aqui.

— Pô, agora fiquei curioso. Fala logo, homem!

— Olha só, *don* Victor, ao passar pelas encostas deste vulcão, o grande chefe Atahualpa feriu gravemente o peito de uma mulher chamada Tunupa. O leite no seio dela jorrou dias a fio, formando o salar.

— Que história, hein? Quando aqueles dois malucos descerem, conto pra eles.

70

Estación de Ferrocarriles de Uyuni

— Boa viagem.

— Boa viagem pra vocês também.

(Edward pega o trem para Villazón, na fronteira com a Argentina, de onde seguirá até Mendoza para se juntar à equipe no Aconcágua. Louise vai para o Chile, mas o trem sairá em três dias. Victor decide ficar em Uyuni até ela ir embora, depois voltará para La Paz.)

"Enfim, sós!"

71

Hotel Desierto Blanco — Suite Familiar

— Victor, está dormindo?

(Louise sai em silêncio, não quer despertá-lo. Mal sabe que ele está acordado há horas, embora não demonstre. Ela se vai, e ele se vira para o canto, espera dormir, o que não fez durante a maior parte da noite.)

"Nunca me senti tão mal em toda a minha vida. Quem ela pensa que é?"

(Louise volta um pouco mais tarde, Victor está dormindo. Ela senta-se na cama e o acorda, precisa falar-lhe, contar a nova decisão.)

— Victor. Victor.

— Hum.

— Acorda, precisamos conversar.

— Me deixa dormir.

— Precisamos conversar.

— Depois.

— Agora.

— Tá bem, tá bem.

— Obrigada.

— Então, o que há de tão urgente?

— Estava tomando café, ali no centro, e encontrei um grupo de italianos.

— Prefiro as italianas.

— Eles contrataram um jipe, vão pro Chile.

— Grande novidade. Por aqui, todo mundo ou tá indo ou vindo. Que gente!

— Vou com eles.

(Victor senta-se na cama.)

— Olha, é o seguinte: eles vão pro sul da Bolívia, uma região muito bonita, repleta de lagos coloridos, flamingos e belas montanhas.

— Posso imaginar.

— É, sei que pode. Agora você pode imaginar muitas coisas. De lá, sigo pra San Pedro de Atacama, depois vou pra Ushuaia, no extremo sul.

— Você adora os extremos.

— Você também, embora ainda não tenha percebido.

— Bem, então boa viagem.

— Não fale assim. Você confunde reação com resposta. Reagir é fácil; já responder é dar uma solução adequada ao problema.

— Fala, professora.

— É isso. Queria falar sobre ontem à noite.

— Ah, esquece.

— Não. Precisamos falar. Não quero que nossa amizade termine assim. Olha, eu sei, é cultural; no Brasil é assim que as coisas funcionam, mas sou diferente e preciso que você respeite os meus limites. Pelo menos que me entenda.

— Entender o quê?

— Por que eu não quis fazer amor contigo ontem à noite. Você é especial, e é assim que desejo me lembrar: um cara especial.

— Você já me disse isso ontem à noite. Diversas vezes.

— Mas acho que você não entendeu.

— Faz diferença?

— Faz. Pra mim, faz. Olha, eu gosto de ti.

— Obrigado.

— Gosto mesmo. Você é um cara legal, foi um belo companheiro de viagem, um grande parceiro; te desejo tudo de bom. *Lord* Buda te reserva um futuro maravilhoso.

— Vou cobrar dele.

— Nem será preciso.

— Melhor.

— Victor, vou pensar em ti sempre com muito carinho. E gostaria que você também tivesse boas lembranças de mim.

— Vou ter sim, pode ficar tranquila. Aprendi muito contigo, nunca vou esquecer. Posso ter muitos defeitos, mas ingratidão não é um deles.

— Que bom. Você nem imagina o quanto isso me deixa feliz. Que bom ouvir você dizer isso. Bom mesmo. E sei que é de coração, você ainda não sabe mentir.

(Louise levanta, vai arrumar a mochila; ele volta para baixo das cobertas.)

— Victor.

— Hum.

— Vou deixar uma lembrança.

— Obrigado.

(Ela fecha a porta, sem fazer barulho, e Victor salta da cama. Sobre o travesseiro dela está o manuseadíssimo *Lonely planet*, o guia de viagem que ela vinha usando. Victor abre e nota, na primeira página, sobre o mapa da Bolívia, uma dedicatória.)

"Victor, *mon chéri*, a partir de agora, é tudo contigo. Sei que você pode. *Bon Voyage*. Louise."

(Quando ele vai guardar o livro, uma folha de papel cai no chão.)

"Parece uma carta."

(É uma carta de Louise.)

"Victor, querido, sei que, quando fugimos, estamos mais propensos a tropeçar. Mas às vezes é preciso dar tempo ao tempo. Estava sufocada e preocupada contigo, em te dar atenção e de repente vi minhas certezas espalhadas pelos beliches dos hostales, junto com a roupa secando. Não posso deixar de cumprir o meu atual projeto de vida só pra te agradar. Você pode ser o homem que a maioria das mulheres busca, mas não é o meu caso. Cheguei a pensar que fosse, mas não é. Pelo menos, não neste momento. Antes de me acomodar dessa forma, tenho muito pra conhecer, em especial sobre mim mesma. Acredito que todos nós temos carências, mas elas devem ser resolvidas por nós e não no colo de alguém. Mesmo que este alguém também seja uma pessoa carente. A vida nos ensina que as dores vêm e vão dependendo da sensibilidade da pele naquele momento. Por isso me afasto, mesmo com dor, pois com sentimento não se brinca, e me senti responsável por ti, por cada passo em minha direção. Está na hora de você aprender a dar mais importância às suas necessidades do que aos seus desejos. Você precisa entender que eu não estou buscando sexo. Não tenho nada contra, óbvio. Gosto, como todo mundo, mas não é ele, ou pelo menos não é apenas ele, que me leva em direção às outras pessoas. Procuro outros tipos de relações. Mas você nem se deu conta disso. Sempre me olhou como um objeto sexual e nada mais. Nunca, em nenhum momento, veio me perguntar se eu estava bem, se precisava de algo, se você podia me ajudar com isto ou aquilo. Não entendo. Qual o seu problema com as mulheres? Algum tipo de vingança? O

que elas fizeram pra você reduzi-las a tão pouco? Talvez você não tenha percebido, mas tenho coisas mais especiais do que suor, saliva e secreções pra trocar contigo. Falo de experiências sensoriais, me refiro a transcendências. Você é um homem inteligente e com uma grande intuição. Mais do que um casal, poderíamos formar um par especial. Quero que você veja como o mundo é disforme, complexo, algo que não permite uma única visão. Você deve aceitar tudo, sem aprisionar-se a nada. Não te culpo, mas acho que a corda arrebentou. Aquela que separa a amizade da inconsequência. Corda sagrada que brincamos, achando que era indestrutível. Indestrutíveis, assim como temos o grande defeito de achar que somos. Temos uma personalidade parecida. Achamos que podemos tudo, que vamos além de qualquer coisa, mas por vezes é preciso juntar cacos que ficam pra trás e montar o quebra-cabeça desta indestrutibilidade que nos faz tão fortes. É salutar ir pros bastidores, tentar entender o porquê dos nossos atos. E, enquanto não encontrarmos uma resposta clara o suficiente pra nos convencer, que fiquemos por lá, nesse lugar sombrio e solitário, pra depois sair e brilhar outra vez; remodelados. Inteiros e reconhecíveis. Chéri, *o seu desejo me lisonjeia, mas não quero que você seja apenas mais um homem na minha vida. Se tiver que nascer algo, será de maneira especial. Você está sempre forçando a barra; não é assim que funciona. Você precisa deixar as coisas acontecerem ao natural. Quando você parar de olhar pras mulheres com segundas intenções, passará a ser bem-aceito por elas. E aí, só aí então, alguma história poderá surgir. Sei que vai me compreender, você tem esta rara habilidade de aprender as coisas muito rápido. Nos veremos por aí. Muitos e muitos beijos. Nas bochechas.*
Louise."

72

Cementerio de trenes

— Que solidão!

— Que solidão!

(Victor se admira com a própria voz, como se fosse um eco, impressionado com o lugar. Passeia entre as velhas locomotivas largadas ao relento. Houve uma época em que elas apitavam e expeliam vapor, vivas; mas agora estão emudecidas. Abandonadas. Não só as marias-fumaça, mas trens completos, vagões e mais vagões. Quer dizer: o que sobrou deles, entregues que foram à ferrugem.)

— Que coisa!

(Talvez em nenhum outro lugar do mundo o contraste entre um passado alegre e cheio de esperanças e o presente melancólico seja tão deprimente. A desolação é grande. Victor caminha triste, como os velhos trilhos; caminhos que já foram de ferro hoje levam ao vazio. A um imenso vazio. De doer no coração.)

"Será que projetei em Louise a imagem que criei de Dulce? Melhor: será que transferi pra Louise o sonho de viver uma grande aventura amorosa com a italiana? Pode ser. Imaginei uma relação perfeita com Dulce, mas, na ausência dela, encontrei Louise. E passei todas as minhas esperanças pra ela. Queria que ela agisse como Dulce. Não, mais do que isso. Queria que ela agisse como eu imaginava que Dulce agiria. Devia ter deixado as coisas acontecerem ao natural. Mas ela também poderia ter sido mais generosa. Sabe-se lá. As mulheres são imprevisíveis. Louise, então, mudava de humor sem nenhuma razão visível. O amor é um sentimento abstrato, mas a sua realização é física. Não há outro caminho. Então, ela que se vá."

(Em uma das tantas e tantas locomotivas abandonadas, já quase por completo tomada pela ferrugem, alguém escreveu, querendo deixar uma mensagem de solidariedade:)

Así es la vida

73

Periferia de Oruro

— Aqui está a embalagem que você queria.

— Nossa! Onde você conseguiu isso? Assaltou algum magnata?

(Eles se reúnem na casa do presidente da Cooperativa dos Cocaleiros.)

— Com estas malas chiquérrimas, vamos entrar no Brasil sem levantar suspeitas.

— Agora vocês precisam comprar roupas do mesmo nível. Com essas aí, vão achar que são ladrões de malas.

74

Comedor Popular San Pedro

— Pra beber, *señor*?

— Uma Potosina.

(A cerveja vem na temperatura ambiente, costume em Uyuni, um lugar frio. Mas para o gosto de Victor, acostumado com a cerveja estupidamente gelada, está morna.)

— Não tem gelada?

— Não.

— Não dá pra botar na geladeira?

— Dá.

— Então coloca outras. Assim, elas gelam enquanto eu tomo esta.

— Quantas?

— Uma meia dúzia, por aí.

— Meia dúzia?

— Isso.

— Tamanho litro?

— Pode ser.

— Algo mais?

— Tem chicha?

— Claro.

— Me traz um copo, grande.

— E pra comer, *señor*?

— Só umas batatinhas fritas, tô sem fome.

75

Diário dos Andes

De onde Louise tirou que eu estava apaixonado por ela? Muita presunção da ruivinha, você não acha? Olha só: não vou mais chamá-lo de diário, fica muito formal. Sem essa de querido diário pra cá, querido diário pra lá; isso é coisa de veado. Podemos ser mais íntimos. Opa, me desculpe derramar cerveja em você. Ela não tá gelada, a espuma escorre pelas bordas do copo. Droga. Ah, deixa pra lá, você não bebe; diários não bebem. Pelo menos que eu saiba. Não bebe, mas devia, Dudu, assim me faria companhia. Ah, é isso: a partir de agora, você vai se chamar Dudu. Gostou? Não acha mais carinhoso? Pois é. Dudu era o nome do meu amigo invisível. Passávamos o dia brincando, lá em casa, sem os adultos notarem a sua presença. Os adultos, como todo adulto, não tinham tempo pra vê-lo. Achavam que eu brincava sozinho! Que nada. Bem, eu nunca me importei com isso, muito menos você, né? Até que era bom. Era o nosso segredo. Mas isso faz tempo. Quantos anos? Por onde você andou? Você foi o melhor amigo que tive na infância. Na infância, na adolescência, na mocidade... ai, ai. Sempre que o general era transferido, e isso acontecia sempre, todos os meus amiguinhos ficavam pra trás, apenas você seguia comigo. Você nunca me abandonou. Quanta peraltice fizemos, você lembra? Por que nos separamos? Olha, confesso: não sei. Não lembro quando nem por que nos separamos. Mas o fato é que, numa determinada altura da vida, uma idade que não sei precisar, você me abandonou. Cerveja quente, droga! Ou será que fui eu que te abandonei? É, devo ser honesto contigo: fui eu que te abandonei. Você nunca havia me abandonado antes, por que faria isso? Fui eu que te abandonei. Não foi por mal, Dudu, me acredite, não foi por mal. Talvez sirva de consolo pra você. Pra você e pra mim. Consolo ou desculpa? Sei lá. Dá no mesmo. Não é que eu o tenha abandonado, assim, de decidir abandonar alguém, pronto, e deixá-lo pra trás. Muitas pessoas fazem isso, Marta fez e Louise acabou de fazer, mas eu não fiz com você. O que aconteceu é que outras pessoas foram se intrometendo na minha vida, se colocaram entre nós, e eu fui te perdendo de vista. Até não percebê-lo mais. Que horror! Mas agora nos reencontramos. Foi preciso eu vir pra este fim de mundo pra nos redescobrirmos. Pena você não beber, Dudu. Poderíamos pelo menos brindar nosso reencontro. Você estava aqui, o tempo todo, me esperando? Ou você me seguiu, escondido em alguma parte da minha bagagem, pra surgir na hora em que eu mais precisasse de você? É, deve ter sido assim. Você sempre foi muito esperto. Roubaram a minha mala, mas você devia estar na mochilinha. Você foi esperto mesmo, hein, garoto! Sei que não foi Louise que te colocou na mochilinha. Foi você que se escondeu nela só pra me acompanhar. Como nos velhos tempos, lembra? Fugíamos dos adultos, eu e você, e nos escondíamos pra fazermos as nossas traquinagens. Como naquela vez em que quase botamos fogo na casa? Meu Deus! Eu nem lembrava mais disso. Como você ainda se lembra, Dudu? Eu apanhei do general, de chinelo, enquanto você ria de mim, escondido embaixo do sofá. Aliás, as ideias sempre eram suas. Eu só as executava e arcava com as consequências. É, nisso você tem razão: no fim, tudo dava certo. E ficávamos rindo, juntos, daquelas confusões. Foram os anos mais divertidos da minha vida. Até nos separarmos. Que bom, você voltou, Dudu. Agora, vamos seguir viagem juntos, eu e você; você e eu. Vamos dar uma virada nesta história. Vai ser como nos velhos tempos, uma grande aventura. Vamos em frente, meu amigo. Amanhã mesmo. Partiremos cedinho, esteja pronto. O mundo será pequeno pras nossas peripécias. Vamos pra ferroviária pegar o primeiro trem que passar, seja pra onde for. Combinado! Tim-tim.

76

Tren para Villazón, via Tupiza

— *Por favor, un boleto para el próximo tren.*

— *Hasta donde, señor?*

(A estação permanece deserta, o trem passará pela noitinha. Mas Victor já deixou o hotel, onde dormiu até a hora de entregar o quarto, curtindo a ressaca da altitude. Agora está ali, com mochila e tudo, e não pretende mais sair.)

— *Hasta el final de la línea.*

(Victor procura se acomodar para a longa e incômoda viagem. Há um único lugar no vagão da primeira classe, ao lado de um gringo alto e corpulento. Os bolivianos, baixinhos e gordos, com suas vestes coloridas, parecem evitar o estrangeiro vestido com roupas de alpinismo. O brasileiro senta-se e fica meio assim, esperando ele acordar.)

— *Hi.*

(O cara diz, por fim, bocejando.)

— *Hi.*

— *Finally I have a friend.*

— *Yes.*

— *Where are you from?*

— *Brazil.*

— Brasil! Com essas roupas, pensei que fosse boliviano! Adoro o Brasil. Tudo bem?

— Mais ou menos. Victor.

— Ludovic. Sou da Suíça, Zurique.

— Onde fica a sede da FIFA, que organiza a Copa do Mundo de futebol.

— Ah, pois.

— Onde aprendeu a falar português?

— Em Lisboa, morei lá um tempo. Por isso o Victor estranha o meu sotaque. Mas já foi pior, agora está abrasileirado. Tenho bons amigos brasileiros. Viajas até onde?

— Até o fim da linha, seja onde for. Dizem que o trem vai até a fronteira com a Argentina, não sei. Se for, talvez passe pro outro lado.

— E o Victor vai fazer o quê na Argentina?

— Nada em especial. Pedi uma passagem até o fim da linha, só isso.

— Ah, gostei! Gostei mesmo. Gosto disso. Vou gostar do Victor. Vamos ser amigos.

— Também vai até a fronteira?

— Não, vou descer antes, em Tupiza. É um lugar mais interessante do que Villazón.

— E o que há de tão interessante?

— Bem, não é em Tupiza, mas em San Vicente, uma aldeia vizinha. O comboio passa em Tupiza. Lá, pego carona em algum caminhão até San Vicente. Pegamos, se o Victor me der o prazer da companhia, já que estás a viajar meio sem destino. Desde La Paz que ninguém senta ao meu lado.

— Você consegue se comunicar com eles?

— Claro, até já passei férias em Cuba. Foi uma boa época, apesar de quase ter me divorciado por causa de uma rapariga cubana. É uma longa história, outra hora conto ao Victor.

— Mas, afinal, o que há em San Vicente?

— As sepulturas de Robert LeRoy Parker e Harry Alonzo Longabaugh.

— Ah!

— O Victor sabe quem são?!

— Não.

— São os verdadeiros nomes de Butch Cassidy e Sundance Kid.

— Isso não é o nome de um filme?

— Sim, também é o nome de um filme, um faroeste cheio de ação. Dirigido por George Roy Hill, com Paul Newman no papel de Butch Cassidy e Robert Redford no papel de Sundance Kid. Viu o filme? É famosíssimo, ganhou diversos prêmios.

— Isso aí.

— Assisti dezenas de vezes. Conta a história de dois fora da lei que viviam no Oeste americano. Lá pelas tantas, assaltam um comboio de um figurão local e se dão mal. Pra segui-los, ele contrata um grupo de caubóis comandado por um xerife incorruptível. Ao longo do filme acontece uma série de peripécias, onde os dois amigos fazem de tudo pra escapar da justiça, até fugirem pra Bolívia.

— E os caras estão aqui, enterrados na Bolívia?

— Em San Vicente.

— E você vai lá ver os túmulos?

— Sim.

— Só pra isso?

— O Victor acha pouco?

— Ainda acho que é não ter o que fazer.

— O Victor nunca fez algo sem que precisasse fazer?

(O trem diminui a velocidade, que já era lenta. Rangendo sobre os trilhos, vai parando aos trancos. As pessoas se amontoam no corredor, malas e mais malas, pacotes e mais pacotes, sacolas e mais sacolas. Algumas *cholas* carregam seus filhos às costas, um que outro chora. Os homens mascam folhas de coca.)

— Que gente!

(Quando o trem para, uma multidão troca de lugar. Ao mesmo tempo. Pelas janelas, podem-se ver os abraços em quem chega; alguns devem trazer presentes, ou pelo menos notícias. A locomotiva apita, os novos passageiros se acomodam nos vagões e lá se vão. Sacudindo, sacudindo, sacudindo.)

— Que tal a história da cubana?

— O Victor é curioso, hein?

— Gosto de uma boa história.

— É, eu também. É pra isso que se viaja, contar e ouvir histórias.

— Mulatas caçando gringos é o que mais deve haver em Cuba.

— Foi amor, amor mesmo. Amor à primeira vista, à segunda vista e a perder de vista.

— Imagino.

— Eu e minha esposa estávamos a trabalhar no mesmo banco. Ela era minha superior hierárquica, embora não fosse minha chefa direta. Mas ela estava na raiz de tudo que eu precisava fazer. Então, o Victor imagina: vinte e quatro horas por dia juntos! Não dá, pois?

— Não.

— Decidimos cada um tirar férias em períodos distintos. Pelo menos dois meses por ano, teríamos liberdade pra tocar a vida sem que um estivesse ao pé do outro. O Victor entende?

— Mais ou menos.

— Já é algo. Bem, e, pra dar certo, fizemos um pacto: eu não poderia me apaixonar durante as minhas férias nem ela poderia ter relações sexuais durante as férias dela.

— Você não poderia se apaixonar?

— Não.

— Ter relações sexuais poderia.

— Claro.

— Ela não se importaria?

— Não, porque seria algo acidental, sem consequências. O Victor sabe como é.

— Mas ela não poderia ter relações sexuais, só se apaixonar.

— Sim.

— E você não se importaria caso ela se apaixonasse por alguém?

— Desde que não tivesse relações sexuais!

— O que deu errado?

— Eu me apaixonei pela tal rapariga cubana. E quase não volto pra casa.

— Como ela descobriu?

— Contei. Se não contasse, eu a estaria traindo. Eu a havia traído ao romper o pacto e a trairia de novo se escondesse a situação.

— Então se divorciaram?

— Não. Como eu contei tudo, ela continuou a confiar em mim e me perdoou. Esperávamos que fosse assim mesmo, por isso fizemos o pacto.

— Então a culpa não foi da cubana.

— Não. A culpa, se é que se pode chamar de culpa, na verdade não gosto desta palavra, foi de um árabe, no ano seguinte. Ela chefiava a carteira que cuidava dos investimentos dos clientes árabes. Seu pai havia sido embaixador no Cairo por longos anos, ela falava árabe. Quando queria me xingar, falava árabe. O Victor acredita? Pois era. Bem, aconteceu que ela acabou se envolvendo com um desses gajos, e não foi aos xingões. Um desses barões do petróleo: se apaixonou, manteve relações sexuais e sei lá o que mais, e me chutou. Ficou rica, largou o banco e hoje mora em Dubai. Virou princesa, o Victor acredita?

— Que sacanagem!

— Do ponto de vista existencial, foi o mais baixo que cheguei. A dor metafísica é produzida no cérebro, mas ressoa no coração. Cheguei a pensar em suicídio. É. Suicídio. Veja só. Quem diria. O Victor nunca pensou em se matar?

— Acho que já, mas não era assim me matar, não; era tipo morrer só pra ver a reação do general. Vez que outra, não muitas vezes, eu pensava essas bobagens. Mas não era assim de chegar e, pum, me matar. Acho que pra isso nunca teria coragem.

— Ah, não, isso não vale. O Victor queria chamar a atenção, só isso; coisa banal. Estou falando de suicídio consciente, quando o tipo chega à conclusão de que não vale mais a pena viver. Aí, é bordoada da grossa.

— Dessa vez se divorciaram.

— Sim.

— Você se ferrou, hein?

— Sim, mas não foi por muito tempo. Umas poucas semanas e muitos porres depois, saltei pra fora do buraco, e com as energias redobradas. Vais dizer que o Victor nunca tomou um porre depois de levar o fora de uma mulher?

— Ah, sim, e não faz muito tempo.

— Alivia, hein?

— E como! Mas se for nesta altitude dá uma ressaca do cão. É de perder o rumo!

— Quanto maior a ressaca, mais rápido se esquece a megera.

— Espero que sim.

— Olha, meu rapaz, uma alma sem desilusões amorosas é como uma toalha de mesa que nunca tenha sido manchada de vinho.

— Você continuou no banco?

— Sim, até hoje. Sou analista de investimentos de grande risco e trabalho numa carteira dedicada exclusivamente aos investidores brasileiros.

— Magnatas.

— Magnatas, políticos.

— Políticos?

— Sim.

— Diz o nome de um.

— Precisa?

(Hora do jantar, os passageiros desembrulham os fiambres, o vagão vira um grande e tumultuado piquenique sobre rodas. As crianças choram, lixo e restos de comida são jogados pela janela, profanando a ferrovia altiplânica.)

— Gosto disso.

— Dessa miséria?

— Não da miséria em si, mas de como a visão limitada que cada um tem do mundo influencia a sua vida. Se o Victor pegar um desses e obrigá-lo a morar em Zurique, o gajo morrerá de tristeza. Da mesma forma, se o Victor pegar um suíço comum, uma secretária qualquer, e obrigá-la a viver aqui, ela também morrerá de tristeza.

— Você não me parece triste.

— Minha visão de mundo é mais ampla, me adapto em qualquer lugar. O mapa-múndi é o meu quintal.

— Um cidadão do mundo.

— É, um gringo, como os nativos de qualquer lugar gostam de chamar os forasteiros.

— Os mochileiros por opção.

— É, é isso: mochileiro por opção. Gostei. Ah, gostei mesmo!

— Pensei que executivos ricos passassem férias em Paris.

— A Paris eu levo meus clientes pra festas memoráveis. Os tipos ganham fortunas, mas o que os deixa felizes é uma noitada, por conta do banco, com garotas de programa de luxo.

— E o que você vem fazer neste fim de mundo? Procurar bandido morto é que não é.

— Meu trabalho é estressante, como o Victor pode bem imaginar. Então, nas férias, busco uma realidade oposta à minha. O que descansa a cabeça, nos desestressa, é a troca de rotina. Por isso, viajo pra ser surpreendido. E, quanto maior for essa ruptura, melhor pra relaxar. É, Victor, às vezes precisamos fugir de nós mesmos.

— Como se fosse uma terapia.

— Melhor, porque o dinheiro é mais bem empregado. Precisamos, pelo menos de vez em quando, sair da zona de conforto e deixar o mundo nos envolver com sua diversidade. Entrar em contato com outras culturas é o melhor antídoto contra o preconceito. Abre a nossa cabeça. O ser humano, todo ser humano, é movido a desafios, por isso precisamos estar sempre nos reinventando; é isso que nos faz crescer. E férias só fazem sentido se voltarmos revigorados pra enfrentar o desgastante dia a dia das nossas vidinhas domésticas.

— Mas você mora em Zurique, uma grande cidade, cheia de atrações.

— Em Zurique sou apenas uma pecinha numa engrenagem, e lutando pra não ser descartada. Quando viajo, sou o protagonista da minha história. Eu estou no comando. Já passei férias com os esquimós no Alasca, com monges budistas num mosteiro no Tibete, com os massai no Quênia. Ano que vem, quero me embrenhar pela Floresta Amazônica.

— Isso é o que eu chamo de viajar, hein?

— Não são viagens, são peregrinações em busca do prazer dos sentidos.

— Dariam um bom livro.

— Livro sim, bom não. Os bons livros devem ter personagens neuróticos e depressivos. Como sou um cara alegre e bem resolvido, a crítica torceria o nariz.

— Mas os leitores iriam gostar. Você vive cada aventura.

— É, até pode ser, mas como faria pra contar tudo? Acabaria me expondo se fosse escrever o que realmente acontece numa viagem de mochila pelo mundo.

— Diz que é um livro de ficção. Apenas inspirado em fatos reais.

— Aí vão dizer que a história não é verossímil.

— Você tá é com preguiça de escrever, isso sim. E fica inventando desculpas. Você não me parece o tipo de pessoa que se preocupa com a opinião dos outros.

— E não me preocupo mesmo. Quero mais é curtir a vida do meu modo; os outros que se danem. A maioria das restrições é autoimposta, e estou fora disso.

— Você não se cansa com tanta agitação?

— Cansar o corpo ajuda a descansar a mente. O cansaço físico a gente recupera com uma boa noite de sono. Por falar em dormir, se o Victor me dá licença...

"Olha como dorme. E ainda ronca, o infeliz. Por isso ninguém sentou com ele. Imagina: não bastasse o barulho do trem, ter mais essa locomotiva humana ao lado! Esse cara é meio pancada. Meio, não: completamente. Aqui, ó, que vou descer com ele em Tupiza. Procurar sepultura de bandido do faroeste americano no interior da Bolívia? Eu, hein? Já fiz loucuras demais nesta viagem, nem tô me reconhecendo; estas roupas então. Mas essa seria demais. Sem chance. Tô fora. Vou até a fronteira, cruzo pro lado argentino, que me disseram é uma cidade grande, e de lá dou um jeito de voltar a La Paz, pegar as malas. Embarco no primeiro avião pro Brasil."

77

Sede da Polícia Federal — Brasília

— Chegou um ofício da polícia boliviana alertando que os traficantes estão utilizando a bagagem de turistas brasileiros pra enviar a droga.

— Precisamos avisar as superintendências regionais pra aumentarem a fiscalização nos aeroportos.

(A reunião foi convocada para reavaliar a estratégia de combate ao tráfico, pois o Brasil passou a fazer parte de uma nova rota internacional entre a Bolívia e a Europa.)

— Não só nos aeroportos, mas também nas fronteiras terrestres.

— A prioridade deve ser os aeroportos, não temos contingente pra controlar todas as alfândegas.

78

Tupiza — 2.950 metros de altitud

— O Victor gostou do hostal?

— Pra quem esperava dormir num banco da praça...

(A cidadezinha, no vale do rio Tupiza, está no centro da cordilheira de Chichas, uma das mais bonitas regiões bolivianas. A paisagem, formada por pináculos rochosos vermelhos, azuis, verdes e violeta, está recortada por cânions, quebradas e precipícios. As montanhas, os cerros e o solo desértico, coberto de cactos e varrido pelo vento, parecem cenários de filmes de faroeste.)

— As cidades perto de alguma atração natural sempre têm infraestrutura turística, mesmo pequena, pra atender os mochileiros. Mas, em lugares *off-the-beaten track* assim, é mais complicado.

— O hostal não é ruim. Ou então sou eu que tô me acostumando com essas espeluncas.

— O ser humano é o mais adaptável dos animais deste planeta.

— Eu que o diga.

— Olha só aquelas duas raparigas. Se não formarem um casalzinho, poderemos ter companhia esta noite.

— Ah, cara, ultimamente não tenho dado sorte com as mulheres, parece que na hora “H” elas sempre me escapam.

— Talvez o problema seja a maneira como o Victor as está abordando, pois!

— Você acha?

— Se a mulher quiser, e pode ser a mulher mais linda do mundo e o Victor esnobá-la, ela vai achar um jeito de ir pra cama consigo. Isso, se ela quiser. Mas, se ela não quiser, e pode ser a mulher mais feia do mundo e o Victor cobri-la de ouro, o Victor não vai conseguir nada. Então, caia fora logo. Nós perdemos o charme quando ficamos mendigando sexo. Assim é a vida, Victor; bem assim.

— Elas que decidem.

— As decididas. Algumas, as indecisas, ainda nos testam. Mas, se não gostarem, não titubeiam; nos dispensam na manhã seguinte.

— Somos descartáveis.

— Bem, nem tanto. Às vezes, antes de irmos embora, elas nos pedem pra trocar a resistência queimada do chuveiro.

— Ah, gostei dessa, como você diz.

— Vamos lá fora fumar um baseado.

(A noite está fria, seca e estrelada, muito estrelada. Como em qualquer deserto, onde não há nuvens para nublar o céu. E na altitude de Tupiza, onde até o ar é rarefeito, as perspectivas se dissolvem.)

— Você fuma maconha?

— Só quando estou em férias, pra relaxar. No resto do ano, fumo charuto. Adoro um Cohiba. Por quê? Você não fuma?

— Charuto?

— Baseado.

— Nunca fumei.

— Está na hora de começar. Um cigarrinho de maconha não faz mal, nem vicia.

— Pode levar pra drogas mais pesadas, tipo cocaína.

— O que você sabe de cocaína?

— Muito pouco. E você?

— Tudo.

— Você cheira cocaína?

— Quando estou a trabalhar, mas não é sempre. É só quando tenho alguma reunião em que preciso estar muito ligado.

— Tipo?

— Quando me reúno com um grande cliente pra dizer que o banco aplicou mal o dinheiro dele, que ele perdeu milhões mas precisa manter o dinheiro no banco; na próxima operação ele vai recuperar o prejuízo e ainda ganhar milhões.

— Caramba!

— O risco faz parte do negócio. Quanto maior o risco, maior a probabilidade de ganhar, ou de perder. É um jogo, um jogo da pesada; e devemos saber administrar tanto o capital quanto o capitalista. Eu gosto disso, os riscos me atraem.

— Aí você dá uma cheirada?

— Apenas o suficiente pra ficar mais confiante.

— O banco sabe disso?

— Sabe, mas faz que não, porque todos fazem. Alguns, mais vezes. Meu chefe cheira todos os dias. Ele tem medo de perder o cargo pra algum de nós caso não seja o mais esperto.

— Isso aconteceria? Quero dizer, ele corre mesmo esse risco, de perder o cargo pra vocês?

— *My friend, to be number one, or not to be.*

— Caramba!

— Victor, talvez este ainda não seja o vosso mundo, mas é o meu. E, não se preocupe, um dia o Victor chegará lá. Ninguém escapa da engrenagem. A maioria nem quer.

— Onde você compra a cocaína?

— Por aí.

(Ludovic dá uma longa tragada e passa o cigarro para Victor. Ele pega, rola entre os dedos, cheira, dá um pega e devolve o baseado.)

— Você não se preocupa com o futuro?

— Ninguém vive *no* futuro. O futuro não existe, é uma hipótese. O que existe é o presente. Não troco uma realidade presente por uma possibilidade futura.

(Continuam fumando.)

— É bom estar vivo.

— É, é bom estar vivo. Gostei disso. Ah, gostei mesmo!

— Legal.

79

Pueblo de San Vicente

— Que viagem. Tô dolorido de tanto chocalhar. E coberto de poeira.

— Pense como os ingleses: *the worst day in your holiday is better than your best day in your office.*

(Eles pegam carona num velho caminhão, uma viagem longa para vencer uma distância curta. Hora sobre hora, de solavanco em solavanco, sobem e descem montanhas sem vegetação, passam ao lado de precipícios, cortam desfiladeiros, cruzam lagunas altiplânicas.)

"Como podem morar nestes lugares!"

(Desembarcam na entrada do povoado, pouco mais que uma dezena de casebres desbotados. Não há vivalma, apenas algumas alpacas em um curral.)

— Isto aqui é o fim do mundo?

— Depende do ponto de vista. Pra quem mora aqui, o fim do mundo fica em Zurique. Mas, se o Victor quiser deixar de lado os pontos de vista e se ater à realidade, diga que estamos no centro do mundo.

— Centro? Isto aqui é o fim, cara.

— Onde quer que o Victor more, caso decida viajar pro norte ou pro sul cruzando os polos, o trajeto de volta pra casa será de quarenta mil e oito quilômetros. Se o Victor vive na linha do equador e for pro leste ou oeste, o percurso de volta será de quarenta mil e setenta e cinco quilômetros. Resultado: esteja onde estiver, o Victor estará sempre no umbigo do mundo. Esta deve ser a vossa perspectiva.

— Faz sentido.

— Olha só, cá estamos. É a vantagem de morar num povoadinho destes: todos os lugares são perto um do outro.

— Que abandono. Você veio de Zurique por causa disso? Uns túmulos danificados!

— Não vim por causa deles, vim por minha causa. Eu me impus um desafio e cá estou, meu objetivo foi alcançado. Isso é o que importa. O Victor não tem objetivos na vida?

— Tenho alguns, mas nada comparado aos seus.

— Diga um, por exemplo.

— Um bom emprego público, com estabilidade, e uma aposentadoria integral.

— O Victor deseja curtir a vida e mandar a conta pro governo pagar. Precisamos ter sonhos, sonhos que se transformem em projetos e resultem em grandes causas, objetivos pelos quais valha a pena lutar. Isso é que dá sentido a nossa vida. Nascemos por acaso, sem querer; a maioria das coisas que acontecem na nossa vida é meio sem querer; e algumas décadas depois morremos, também sem querer. Então, precisamos preencher esse tempo com algo interessante, senão a vida será apenas uma sucessão de tédios, um bocejo após o outro. E não existe nada pior do que a pessoa se sentir inútil; leva à depressão.

— Ser enterrado num fim de mundo, na Bolívia, é um bom objetivo?

— Não sei se é bom ou ruim, e isso não importa. O importante é ter um objetivo, algo pelo qual lutar. E esses caras lutaram. Pra eles, o interessante foi a vida que tiveram antes de caírem mortos.

— Que vida?

— Quer mesmo saber? É uma longa história.

— Pelo visto, não temos pressa. Não é isso que você sempre diz?

— Robert LeRoy Parker nasceu em Utah, nos Estados Unidos. Ainda jovem, adotou o pseudônimo de Butch Cassidy, homenagem a Mike Cassidy, um velho safado que o ensinara a roubar gado.

— Começo promissor.

— Com o dinheiro dos assaltos, Butch comprou um rancho, onde criava gado. Além de ser um esconderijo perfeito, graças à localização nas montanhas, servia como fachada pra esconder as atividades clandestinas. Com outros bandoleiros, formou uma quadrilha, que virou lenda assaltando bancos, comboios e carruagens, além de roubar cavalos e gado.

— E o outro?

— Butch Cassidy deixou a quadrilha e se juntou a Sundance Kid, formando uma dupla que se tornaria lendária. Afirma-se que, embora fossem assaltantes e usassem armas, nunca mataram ninguém. Muitos xerifes tentaram pegá-los, mas em vão.

— É, dá filme.

— Caçados pelos homens da lei, os dois fora da lei decidiram tentar a sorte na América do Sul. Chegaram a Buenos Aires em 1901. Usando nomes falsos e se vestindo com elegância, hospedaram-se no melhor hotel da cidade e depositaram uma fortuna no banco, dinheiro do último assalto realizado nos Estados Unidos. Tidos na conta de refinados cavalheiros, chegaram a fazer amizade com cidadãos ilustres e até compraram uma fazenda.

— E a Bolívia, onde entra?

— Calma, o Victor é ansioso; e isso não é bom. Pra desfrutar bem a vida, é preciso saber controlar a ansiedade.

— Parece a Marta falando.

— Marta?

— Minha ex-namorada.

— Eles levavam uma vida confortável, na condição de fazendeiros. Mas, quando o dinheiro acabou, voltaram aos roubos; a aventura estava no sangue. Após alguns assaltos, acharam mais prudente mudar de ares e cruzaram a fronteira. Passaram a saquear comboios, bancos e minas na Bolívia, no Peru e no Chile, sempre com a polícia nos calcanhares.

— Como acabaram enterrados aqui?

— Butch e Sundance ficaram sabendo que o salário dos empregados de uma mina seria transportado sem escolta de Tupiza pra Atocha. Seguiram o carregamento e emboscaram os muleiros perto do cerro Huaca Huañusca. Os dois assaltantes não encontraram resistência, nem o dinheiro, que havia sido levado no dia anterior.

— Que azar.

— Desanimados, voltaram a San Vicente e se hospedaram numa pensão barata. O proprietário avisou o exército em Uyuni. Ao anoitecer, eles foram cercados e, após um combate que deixou um soldado ferido e outro morto, ouviu-se um homem gritando de dor. Minutos depois, foi disparado um tiro, e os gritos cessaram. Logo após, outro tiro. E o tiroteio teve fim. Na manhã seguinte, os tipos foram encontrados mortos. Na época especulou-se que o homem que havia gritado de dor era Sundance Kid, que caíra ferido. Sem chances de fugirem, Butch deu um tiro de misericórdia entre os olhos do parceiro, e, em seguida, suicidou-se com um disparo na têmpora. Os gajos tinham esse pacto, jamais serem pegos vivos. Foram enterrados onde estamos agora.

— Uma história do Velho Oeste com o *the end* na Bolívia.

— E agora o Victor também faz parte dela.

— É. É verdade. Preciso tirar uma foto.

— Nada de fotos.

— Ora, pra mostrar aos outros.

— Ah, esquece os outros. Isso é só com o Victor, Butch Cassidy e Sundance Kid, não há espaço pra mais ninguém nesta história. O Victor está aqui, é isso que faz a diferença, não uma foto.

— Ah, você não conhece a galera. Eles nunca vão acreditar se não tenho uma prova.

— Por que o Victor precisa que acreditem? O Victor conseguiu, isso é o que importa. O Victor dá muita importância aos outros. O Victor supera a si próprio, derrota vossos medos, vence os próprios limites. Isso é que interessa.

— Não ligar pros outros, como se vivesse sozinho no mundo?

— Os outros não estão nem aí pro Victor, esqueça. Talvez sintam uma ponta de inveja, e só; o que piora a situação: não é bom conviver com invejosos. Mas o Victor não, o Victor nunca terá inveja dos vossos feitos; mas satisfação. Sempre que o Victor estiver diante de algum desafio, vai contar apenas com a vossa determinação, que vem das vossas convicções. Não espere a ajuda dos outros, mesmo que o Victor seja o herói da galera. E, portanto, não precisa dividir vossas conquistas com ninguém. A felicidade está no vosso sentimento, nunca nos outros.

— Pra você é fácil, todo-poderoso.

— Todo-poderoso? Ah, gostei disso. Gostei mesmo! Mas o Victor também é poderoso. Agora é. Não há maior sensação de poder do que conseguir controlar o próprio destino. É isso, e mais nada. Hoje, aqui, foi o Victor, Butch Cassidy e Sundance Kid.

— Gostei.

— Na verdade, nem eles estão ligando pro Victor. Ou o Victor acha que chegar até aqui tem importância pra eles? Tem nada, os gajos não estão nem aí. Mas pode mudar a vossa vida. Se o Victor se der conta do que fez, ó pá!

— Só uma foto.

— Nem carrego máquina fotográfica.

— Não? Você viaja pelo mundo sem tirar fotos? Não mostra aos parentes, não conta suas aventuras aos amigos?

— Conversamos, sim; mas nada de ficar se exibindo. Não é pra isso que viajo, pra tirar fotos.

— Quase morri de frio na carroceria daquele caminhão. Um pouco mais e também fico sepultado na poeira da estrada. E, agora, nem uma foto? Ninguém vai acreditar em mim.

— Ora, o Victor não deve conviver com pessoas que não acreditam em vós.

— O mundo é assim. Você acha que posso mudar a humanidade?

— Quem sabe.

— E começo por onde, entre os bilhões de habitantes do planeta?

— Que tal começar pelo Victor?

80

Pensión San Vicente

— Victor! Victor!

— Hum.

(Ludovic acorda no meio da noite, assustado com os gritos de Victor. A cabana está sem a porta, e ele imaginou que fosse uma lhama entrando no quarto e demorou a entender que o barulho vinha do brasileiro, deitado na cama ao lado.)

— Victor!

— O que foi?

— Acorda, homem. Acorda.

— Ah, Ludovic, o que foi?

— O Victor estava a gritar.

— Acho que tive um pesadelo.

— O Victor ficou impressionado com a história do Butch Cassidy.

— Não, não foi isso. Estes pesadelos me acontecem de vez em quando. Sonho que tô sendo enforcado.

— Enforcado?

— Por deserção. É sempre o mesmo sonho: estão enforcando um desertor e vejo que sou eu. Mas não há guerra, nada, só a condenação do desertor.

— Esqueça isso. Vamos dormir.

— Agora não consigo mais dormir.
— Então me dá licença, preciso dormir.

"Quando vou me livrar disto? O general não me disse só coisas ruins, às vezes ele também me dizia coisas boas. Então, por que a minha queridinha mente armazenou só as coisas ruins? Que ódio! Não! Menos, menos! Que isso? Preciso me controlar, senão vou acabar mesmo acreditando que é o espírito dele voltando pra me punir. Ah, mãe, essa não!"

81

Tren Wara Wara para La Paz, via Oruro

— O Victor tem certeza que não quer descer em Oruro?

— Nada de Oruro. Vou até La Paz e de lá pro Brasil.

(Regressam de Tupiza no trem expresso que liga o sul do país à capital.)

— Este velho trem anda sempre nos mesmos trilhos, não tem como se perder, mesmo nesta vastidão desértica. Mas nós vivemos numa encruzilhada, difícil saber por onde seguir.

— Não importa por onde o Victor siga, pode ser qualquer caminho, desde que seja por convicção e não por conveniência.

— Ah, Ludovic, não tenho convicção de mais nada. Nas últimas semanas, minha vida tá virando de cabeça pra baixo.

— Então faça aquilo que melhor lhe convenha. Pelo menos, assim, o Victor não perde o rumo. Mas, veja bem: se o Victor tiver mesmo que fazer algo por conveniência, então aja estritamente dentro desse critério — com convicção! Nada é pior do que o meio-termo. Aí, no meio-termo, está a maioria dos projetos inacabados. E dos homens infelizes.

— E que se dane o mundo?!

— E qual o problema? O homem é o mais egoísta dos macacos. Por que não assumir isso? Cinismo é querer se imaginar o contrário. Meu amigo, existe apenas o mundo sensorial, este que me provoca frio, calor, dor, prazer. Passo frio, logo existo. Entende? Não existe outro mundo, nem outra vida, acredite. Morreu? Morreu. Por isso, fiz a opção pela vida. O que busco no mundo, neste que tenho provas de que existe, é o prazer, a satisfação pessoal.

— Você não acredita em Deus?

— Deus é uma alucinação coletiva.

— Mas como viver sem ter em quem acreditar?

— Acredite no Victor.

— Mas, se não existe Deus, se não existe nada após a morte, então nossa vida não tem sentido.

— Não tem sentido se o Victor centrar a vida nessa possibilidade. Pois ela pode ser apenas isso, uma possibilidade. Mas se o Victor centrar a vida no mundo real, neste em que o Victor está agora, neste mundão aqui, aí tudo que o Victor fizer terá sentido.

— Mas as pessoas creem numa vida após a morte.

— É uma crença baseada na superstição, fruto da esperança, e não da convicção. As pessoas vivem na esperança de que vão ser eternas. O ser humano, tão logo teve consciência da sua existência, teve também consciência da sua finitude. E inventou essa história de continuar noutro mundo, uma maneira de enganar a si próprio. Repetiu tanto através dos tempos que acabou acreditando nessa ilusão. Olha, meu amigo, pra quem sabe viver, basta uma vida.

— Tudo bem que você não acredite em Deus, espíritos; mas existem coisas imateriais, que vão além do físico.

— Claro que existem, e esse é o problema. O mundo não material, espiritual ou mesmo apenas mental, o mundo dentro da minha mente, é depressivo. Toda reflexão é depressiva. Serve apenas pra me lembrar do lado ruim da vida, das restrições, inclusive da maior delas: que vou morrer um dia.

— Você tem fixação pela morte.

— Por isso aproveito a vida. Pior é se achar merecedor de algo majestoso a nos esperar lá no outro lado e, por conta disso, não aproveitar tudo que se pode usufruir deste lado. Olha, não abro mão de um mundo real por um mundo hipotético. Imagine a frustração de quem viveu em função desse outro mundo, morrer e descobrir que ele não existe? No meu caso, se ele não existir, como imagino, não perderei nada; pois nunca vivi em função dele. Agora, se esse outro mundo existir, será um ganho extra. Só isso.

— Não existir nada após a morte. Ruim, hein?

— Pode ser pior.

— Pior? Nada pode ser pior do que o cara morrer e, pronto, acabar tudo.

— Pode existir esse outro mundo, pra onde se vai após a morte, e ele ser pior do que este onde estamos. Pode ser tudo, estamos no mundo das possibilidades.

— Já pensou, um mundo pior do que este?

(Está escurecendo, pouco se vê pela janela do trem.)

"Será que ele tem razão? E se Deus não existe mesmo? Não, não pode ser. Mas ele é um profissional importante, não iriam deixá-lo administrar fortunas se ele não fosse um sujeito bem realista. Preciso reler a carta de Louise, aquela parte em que ela fala como o mundo é disforme, complexo, algo que não permite uma única visão, onde devemos aceitar tudo sem nos aprisionarmos a nada. Acho que é por aí. Calma, meu chapa, calma. Deste jeito, vou acabar fundindo a cuca."

(O trem para em Oruro.)

— O Victor não quer mesmo descer comigo?

— Não, obrigado. Vou em frente.

(Pela janela, Victor ainda grita para Ludovic:)

— Nos veremos em Zurique qualquer dia desses.

— Vá mesmo, vou esperar.

— Prometo. Vai ser meu próximo desafio, meu novo objetivo.

— Ah, gostei disso, meu amigo. Gostei mesmo! O Victor aprende rápido.

"Rápido demais pro meu gosto."

82

La Paz

— Pra onde, *señor*?

— Hostal Yatiri.

(Até poucos dias uma cidade da qual pouco ouvira falar, agora Victor se imagina regressando para casa. A chegada ao hostal é uma festa, o gerente o recebe com um grande abraço.)

— Que bom hospedá-lo de novo, *don* Victor. Haviam me dito que o senhor não voltaria a La Paz.

— Quem disse isso?

— Seu cunhado.

— Meu cunhado?

— Sim. Ele e sua irmã, quando vieram buscar as malas, me disseram que o senhor tinha voltado direto pro Brasil.

— Buscar as malas? Que malas?

— As suas.

— As minhas? Você entregou as minhas malas pra outras pessoas?

— Cumpri as suas ordens.

— Que ordens?

— Do e-mail que o senhor me enviou.

— E-mail?

— O e-mail que o senhor me enviou de Cochabamba, pedindo pra eu entregar as malas ao seu cunhado. Fiz como o senhor mandou, não sou bobo nem nada: conferi os documentos dele. Estavam corretos. O nome, o número do passaporte, exatamente como o senhor informou no e-mail. Ele mostrou até o cartão que eu havia lhe dado, com um bilhete seu no verso, pedindo um desconto. Mas não quiseram ficar. Pegaram as malas e se foram. Uma pena, pessoas tão distintas.

— Você não desconfiou de que se tratasse de um golpe?

— Desconfiar por quê? Eles sabiam até a marca das malas e o que tinha dentro.

— O cara forjou o e-mail.

— Como assim?!

— Brasileiros filhos duma puta!

"E eu que imaginei fossem empresários decentes. Ah, mas não me enganei não, a cara dela, lá em Foz do Iguaçu, não me enganou. Bem que eu havia desconfiado se tratar de alguém capaz de praticar um ato doloso. Foi o vinho em Oruro que me impediu de ver que eram vigaristas. É sempre assim: quando bebo, quero ajudar todo mundo. Preciso parar com isso, de bancar o bonzinho. Ludovic tem razão, os outros que se ferrem!"

•

83

Dudu

Dudu, tanto os bolivianos quanto os brasileiros me passaram a perna, abusando da minha boa-fé. Os bolivianos até se compreende, são pobres demais; talvez o cara que roubou a mala no trem seja um mineiro desempregado, um sujeito em estado inimputável. Agora, aquele casal roubar as malas eu não posso entender. Roubar alguém do próprio país! Amanhã vou à embaixada do Brasil registrar o ocorrido. Não vou recuperar o prejuízo, mas eles precisam saber que tipo de brasileiro anda fazendo negócios no exterior.

84

Ruta de la Muerte

— Dulce. Dulce?

(Ali, na frente dele, sentada à mesa na cozinha do hostal.)

"Dulce, a americana que virou italiana. A doce Dulce. Tão distante, agora aqui. Tão sonhada, agora aqui, presente. Tão perto, mas ainda tão longe. Deusa. Dulce deusa. Assim, aqui, de graça? Não pode ser! Mas é. É! Linda. Displicente. Lindamente displicente."

(Ela beberica uma caneca de chá enquanto folheia seu guia de viagem.)

"Olha só: igual ao que ganhei de Louise. E agora, o que devo fazer? Preciso de um plano. Não posso chegar assim, sem mais nem menos, me sentar ao lado dela e puxar conversa. Tipo: Bom dia. Como vai? Tudo bem? Você vem sempre aqui? Não, definitivamente não! Horrível. Devo parecer casual. Tipo: Olá, você por aqui! Que surpresa! Não. Também não. Que surpresa seria pra ela? Nenhuma. Nem deve se lembrar de mim. E se ela quiser conversar em inglês? Ainda não me acho tão seguro assim, pra bater um papo em inglês, impressionar. Preciso de um plano. E rápido. Um plano infalível. Perfeito. Que não a deixe escapar. O que Ludovic faria, ele que sabe tudo sobre as mulheres? O que ele faria? Hein, o que ele faria? O que faria o ardiloso Ludovic? Ah, isso, isso, claro: ele seria ardiloso. Sim! Ardiloso. Ele seria ardiloso. Preciso ser ardiloso. Um plano ardiloso."

(Victor regressa ao quarto, pega o guia de viagem e retorna à cozinha.)

"Fazer um chá? Pode não dar tempo. E se ela for embora, como das outras vezes? Não, não posso correr esse risco. Não posso perder tempo esquentando água pra fazer um chá. Preciso improvisar. Ludovic improvisaria. Isso. Preciso improvisar."

(Vai ao armário, pega uma xícara e a enche com água. Na pia mesmo.)

"Uma colher de açúcar. Parece mate de coca. Branquinho feito mate de coca. Pronto, tá pronto o chá."

(Ela permanece concentrada no guia. Lê. Sublinha algumas palavras — ou seria uma frase inteira? — com o marca-texto. Balança a cabeça.)

"Será que tá se decidindo pra onde vai? Aonde irá? Bem, chegou a hora. É agora. Agora. Louise prometeu que Buda me reservava algo especial. Então, seu Buda — *Lord* Buda, como ela dizia —, que seja agora. Se tem algo especial pra mim, que seja agora. Agora. *Now. Ahorita.* Tem que dar certo, tem-que-dar-certo. Vamos, vamos lá, meu chapa. Ludovic disse que agora sou poderoso. Como Butch Cassidy e Sundance Kid. Vamos lá, caubóis. Vamos nessa. Casual. Assim, displicente. Isso: displicente."

(Ele se aproxima da mesa. Mesa comprida, um banco em cada lado, e só eles ali: àquela hora, não há mais ninguém na cozinha. Só os dois, observados por Butch e Sundance. Victor pisca um olho para eles. Está pronto para sacar, ela está na mira. Olhando para cá, para lá, avança. Distraído, com a xícara e o livro nas mãos, absorto — Victor senta-se quase em frente dela.)

"Feito!"

(Está sentado. Coloca a xícara de chá sobre a mesa, depois o guia. Folheia. Folheia o guia. Interessado.)

"Olha só! Que montanha alta. Deve ser uma boa escalada."

(Ela rabisca no livro. Ele precisa tomar a iniciativa. Pega a xícara, quer tomar um gole de chá, leva à boca.)

— Uau!

— *Prego?*

— *My tea is hot! My God! Very, very hot!*

— *Ah, be carefull.*

— *Yes, yes. Thank you.*

— *You're welcome.*

— *Gracias. Gracias. ¿Hablas español?*

— *Sí.*

— *¿Importase en hablar español?*

— *No.*

— Então, se você não se importa, vamos conversar em espanhol; prefiro falar a língua do país onde me encontro. Você sabe, fica mais simpático.

— É verdade.

(Ela responde, em espanhol.)

— Vou esperar o chá esfriar um pouco. Preciso ver umas informações aqui no *Lonely*.

(Dulce volta à leitura.)

— Ah, me desculpe...

— Sim?

— Me desculpe, estava olhando pra você, agora que sentei aqui, e tô com a sensação de que já nos vimos antes.

— Será?

— Sim, sim. Não lembro onde, mas já nos vimos.

(Dulce recomeça a rabiscar o guia.)

— Ah, lembrei! Nos vimos duas vezes. Isso, duas vezes. Claro. Como não lembrei logo. Alguém como você!

— Onde? Não recordo de você.

— Fomos apresentados em Assunção. Em frente ao hostal. Vincent nos apresentou. Vincent, o holandês, lembra?

— Lembro do Vincent, mas não lembro desse encontro. Desculpe.

— Tudo bem, sem problemas.

— Olha, me desculpe mesmo, mas não me lembro de você.

— Claro, como você iria lembrar. Foi rápido mesmo. Muito rápido. Só um *hola*.

— Bem, e a outra vez? Você disse duas vezes. Que tínhamos nos visto duas vezes.

— A outra vez foi em Foz do Iguaçu. Você estava lá, olhando as quedas-d'água, e me pediu pra fotografá-la.

— Foz do Iguaçu?

— Sim.

— Você é o rapaz que

— Sim! Eu mesmo! Ficaram boas as fotos?

— Você é o rapaz que jogou a bagana do cigarro no chão?

— Ah, pois é. Mas, olha, deixei de fumar. Foi difícil, mas deixei. Olha, faz semanas que não coloco um cigarro na boca. Nem pretendo voltar a fazê-lo. Aliás, pra você ver como são as coisas: não posso nem chegar perto de quem fuma.

— É, isso é comum a ex-fumantes. Meus parabéns.

— Obrigado.

— Mas ainda não acredito que você seja aquele cara. Você fala. Aquele rapaz, pensei que fosse mudo.

— Não sou mudo, não.

— É, já percebi. Mas você usava um blazer azul-marinho, com botões dourados; vestia calça cinza, camisa branca, gravata bordô. E calçava sapatos de camurça. Naquele calor!

— Puxa! Como você lembra esses detalhes?

"Então ela prestou atenção em mim, ah!"

— Ele estava uniformizado igual ao porteiro do hotel. Até pensei que fosse ele. Depois, vi que não era, mas cheguei a confundir.

— *Ele* sou eu. Sou advogado.

— Mas o que aconteceu com as suas roupas italianas?

— A companhia aérea extraviou minha bagagem, todas as minhas malas. Vou processá-los quando voltar ao Brasil.

— Você é brasileiro?

— Sim.

— Tudo bem?

— Tudo bem.

— Rio de Janeiro?

— Brasília.

— Olhe, o seu mate vai esfriar.

— Não se preocupe, gosto frio.

— Vestido de boliviano você se humaniza. Daquele jeito, vestido de porteiro de hotel, estava horrível.

— É, eu acho que você tem razão. Faz tempo que não coloco uma gravata; acho que nem saberia mais usá-la. Quer dizer: na verdade, não faz tanto assim, mas parece que faz. Parece que faz anos. Que coisa!

— Não se conta a passagem do tempo apenas em dias.

— É, faz sentido.

— Pra onde você está indo?

— Tô chegando.

— Conta.

— Quer mesmo ouvir?

— Tem algo mais interessante pra fazer?

— Não!

— Vou fazer mais chá. Vá falando, estou ouvindo.

— Estive percorrendo o altiplano: Oruro, Potosí, por aí. Gosto de vagar sem rumo. Em Potosí, participei de uma greve de mineiros. Solidariedade, sabe como é. Povo sofrido, este. É o mínimo que podemos fazer. Depois andei pelo Salar de Uyuni, uma maravilha, bem como eu imaginava. Terminei em San Vicente, uma visita aos túmulos de Robert Parker e Harry Alonzo. Sabe quem são?

— Não.

— São os nomes verdadeiros de Butch Cassidy e Sundance Kid.

— Isso não é o nome de um filme?

— Sim, também é o nome de um filme, um faroeste cheio de ação, com Paul Newman no papel de Butch Cassidy e Robert Redford no papel de Sundance Kid. O filme foi inspirado na vida dos bandoleiros, uma história fantástica, que começou lá no Velho Oeste americano e terminou na Bolívia. Eles fugiram pra cá e acabaram morrendo aqui, imagina só.

— Conheço as cidades do altiplano. Adorei o Salar de Uyuni, as lagoas com os flamingos, as lhamas, as alpacas, as vicunhas, adoro ver animais selvagens; mas não cheguei a San Vicente, só vi no mapa. Muito longe. Você foi até lá pra visitar as sepulturas?

— Bem, na verdade, fui lá pra me testar. Me impus um desafio, um objetivo que eu queria cumprir. Só isso. Entende?

— Sim, entendo. Também gosto dessas coisas. Buscar algo, isso é bom. Precisamos dar um sentido pra este mundo. Senão, ele fica muito vazio. Ó, tome seu mate. Morno, como você gosta.

— E você, de onde tá vindo?

— Litoral do Chile. Estou procurando uma pousada, ou algo parecido; quero comprar. Desejo abrir um centro de ioga. Tenho visitado alguns lugares, estive no Brasil e na Argentina, mas ainda não me defini. Quero ver outras opções antes de me decidir.

— Poxa, que legal! Mas por que a América do Sul?

— Por causa da energia do continente. A região tem grande força xamânica, e isso é fundamental pra minha escola.

— Ioga, é?

— Sim.

— Mas por que logo isso?

— Como assim, logo isso?

— Eu quis dizer por que ioga?

— Sou psicóloga. Estagiei numa clínica cuidando de pacientes terminais, minha especialização. Mas chegou um momento em que não consegui mais conviver com a morte. Fui trabalhar na Fundação Índia, uma ONG dedicada a cuidar das crianças. Descobri a ioga, estudei por lá, fiquei fascinada. A ioga é uma maneira de você olhar pra dentro de você, descobrir o que você tem de melhor e de pior, e procurar melhorar-se. Quero trabalhar com isso, preparando as pessoas pra viver, não pra morrer. Reuni minhas economias e vim conferir os lugares indicados por um guru indiano. Ele já havia visitado esses lugares mentalmente, mas eu precisava me expor a eles pra ver se combinavam comigo.

"Que coisa!"

— E pra onde você vai agora?

— Amanhã vou pra Coroico, uma pequena cidade nos contrafortes da cordilheira, em direção à Amazônia boliviana.

— E o que há de especial por lá?

— Não é lá, é como se chega lá.

— E como se chega lá?

— Pela Estrada da Morte.

— Você acabou de dizer que não quer mais saber de morte

— Minha despedida do tema.

— Por que é chamada de Estrada da Morte?

— A gente vai de carro até La Cumbre, aqui perto, mais de quatro mil e seiscentos metros de altitude. De lá, desce de bicicleta até Coroico, na selva. É um desnível de mais de três mil e trezentos metros, percorridos em pouco mais de sessenta quilômetros, por um caminho fantástico, curvas e mais curvas ladeadas por precipícios e altas montanhas.

— Taí um lugar que preciso conhecer.

— Vamos num grupo, você pode ir junto.

— Fala sério?

— Por que não?

— Bem, é que nunca andei de bicicleta na minha vida.

"Se conto que minha mãe não deixava!"

— Ah, que pena. Então, nesse caso, retiro a sugestão. Você iria se acidentar, é um *downhill* e tanto.

"Droga!"

— E, depois de Coroico, você vai pra onde?

— Peru. Preciso vistoriar alguns lugares por lá.

— Que lugares?

— Lago Titicaca e Machu Picchu, via Trilha Inca.

— Também tô indo pra lá, adoro o Peru.

— Que bom. Então vamos nos encontrar pelo caminho, estamos na *gringo trail*. Ainda nem sei o seu nome.

— Victor.

— Prazer, Victor. Me chamo Dulce.

— Prazer, Dulce. Bom saber seu nome.

— Obrigada pela companhia durante o mate. Vou à agência que vai providenciar o passeio amanhã, quero testar a bike, fazer algumas perguntas sobre segurança, resgate. Gosto de checar tudo antes de me expor a alguma situação de risco. Nos vemos por aí.

— Tchau.

— *Arrivederci.*

"Eu não acredito! Tirando a história da bicicleta, eu me saí bem. Ludovic precisava ver. E Vincent? Ah, Vincent não iria acreditar. Louise iria morrer de ciúmes. Tô dentro! Ah, ah!, tô dentro!"

85

Por La Ciudad

— Não há um guia mais recente?

— Não.

(A livraria está movimentada, é a melhor da capital, mas o acervo continua desatualizado.)

— Este é de três anos atrás!

— O Peru não mudou de lugar. O Titicaca, a Ilha do Sol, as ilhas flutuantes, Qosq'o, Machu Picchu, Huascarán, a Floresta Amazônica; todos estão lá há bem mais de três anos.

(Victor compra. É igual ao guia usado por Dulce.)

"Não será difícil encontrá-la."

— *Gringo trail*, hein. Vai lá, meu chapa!

"Olha só. Entre La Paz e Machu Picchu, o guia sugere Copacabana e Puno, pra conhecer o lago Titicaca, e Qosq'o, de onde se vai de trem pra Aguas Calientes. Mas Dulce falou em Trilha Inca, preciso saber com mais detalhes do que se trata. Desta vez, seja o que for, não ficarei pra trás. Ah, não vou mesmo! Se for preciso, aprendo até a andar de bicicleta. Dona Cândida que me desculpe."

(Victor vai ao Mercado Negro, algumas ruas acima, comprar algo para a atípica Dulce.)

"Ela deve gostar de coisas típicas, artesanato indígena, imagens de santos, essas coisas. Quando encontrá-la, quero fazer uma surpresa."

(Mas é difícil. Bem difícil. Victor caminha por entre as tendas, os vendedores nas calçadas, as *cholas* sentadas no chão, e só encontra produtos industrializados; quase todos, senão todos, falsificados: eletrodomésticos, roupas, CDs, eletrônicos, utensílios de cozinha, remédios, calçados, comidas, doces.)

"Que gente gulosa!"

(Desce em direção à Plaza San Francisco, desviando de um e outro pedestre, o movimento é grande, e senta-se nas escadarias da igreja. Dali, pode ver a movimentada avenida Mariscal Santa Cruz, onde passam os tradicionais ônibus bolivianos.)

"O colorido da lataria os deixa cheios de graça."

(São azuis, vermelhos, verdes, amarelos; cada cor traz a preferência do proprietário. Alguns, por gosto especial ou por indecisão, estão pintados com todas as cores. O capô projetado e o bagageiro externo, com aquela escadinha que leva ao teto, dão um ar retrô aos veículos, sempre atulhados de gente. As janelas encortinadas, algumas com rendas; o cobrador com a metade do corpo fora da porta.)

"É o tipo de cenário que ela deve gostar."

(Victor cruza a avenida e vai até a praça em frente da catedral. A igreja é interessante, em especial o enorme domo; a arquitetura colonial na Bolívia impressiona, mas o que chama a atenção é o prédio ter sido construído em uma íngreme ladeira, como todos os edifícios em La Paz.)

"Andar de bicicleta aqui é impossível."

(As *cholas* da Plaza Murillo vendem artesanato, roupas típicas, chapéus de feltro, ervas medicinais e mais alguns produtos do altiplano. Victor olha de forma carinhosa, mas nada encontra que sirva para a meiga Dulce.)

"Muito rústico."

(Compra um par de luvas. Não que vá usar, são horríveis, é só para agradar à pobre indígena, vendendo suas quinquilharias com o filho nas costas.)

— A senhora pode ficar com o troco.

(Vendo que o gringo está disposto a comprar, uma delas oferece uma pequena imagem de Ekeko, o gnomo dos aimarás.)

— É o deus da abundância, responsável pelas boas colheitas e pela distribuição de todo tipo de riqueza. Há em La Paz uma grande feira em homenagem a ele. Se o *caballero* almeja algo especial na próxima colheita, coloque uma miniatura do objeto desejado junto a Ekeko e verá que ele atenderá ao pedido.

(Victor pergunta o preço, dá o dinheiro, mas não pega a imagem.)

— É um presente pra senhora. Pra dar sorte.

(Comprou não só para agradar à velha indígena, mas porque ela lhe deu uma grande ideia.)

"É claro que Dulce deve conhecer a tradição, mas esse Ekeko é muito rústico."

(Ele desce até o Prado, a elegante avenida onde estão os hotéis de luxo, os restaurantes sofisticados, os bares da moda, as lojas de grife e as joalherias. Quer comprar um Ekeko de prata para Dulce, da prata boliviana tão desejada pelos europeus.)

"Vou dar junto com a miniatura de uma pequena casa, o prédio que ela sonha comprar pra estabelecer a clínica de ioga. Ou seja lá o que for."

— Dulce, você merece.

(Ele volta ao hostal, senta-se no terraço e fica observando as montanhas cobertas de gelo marcando a linha do horizonte. A silhueta de algumas se funde com as nuvens, o mar no céu que a Bolívia não tem na terra. O cume dourado do cerro Huayna Potosí, a mais alta delas, reflete os últimos raios de luz da tarde ensolarada.)

"Além destas montanhas, muito além, em algum lugar, tá minha Dulce. O que estará fazendo neste momento?"

86

Dudu

Dudu, você nem sabe o presente que comprei pra Dulce. Assim que a encontrar, ela vai ter uma grande surpresa. Mas não é só isso. Enquanto jantava, fiz algo inusitado: rabisquei um poema pra ela.

Dulce
Sua ausência me estimula a fantasia.
Você é parte do meu desejo,
Está além da realidade.
Você pode desaparecer
Pelas montanhas,
Pela cidade,
Pelo país:
Do mundo real.
Mas não da minha vida!
Capturo a sua essência,
Te encerro no meu ser,
Te possuo além do contato físico.
Eu te fiz imortal em mim.
Dulce, você será eterna
Enquanto eu viver.

Tá bom, Dudu, tá bom: eu sei que você não gostou. Mas, e daí? É o meu primeiro poema, não podia ficar perfeito. Mas eu gostei. Um dia vou mostrar pra ela.

87

Coroico — 1.750 metros de altitud

— Vamos conversar no alpendre, olhando as estrelas? Está uma bela noite.

— Vamos.

(A pequena cidade, no coração dos Yungas — vales que separam o altiplano da Floresta Amazônica —, se caracteriza pela tranquilidade. Com tempo bom, é possível avistar os picos nevados da Cordilheira Real, ao ocidente. Ao oriente, as trilhas se embrenham pela selva boliviana.)

— Gosto deste clima romântico.

— Você é um homem perigoso.

— Por quê?

— Porque você sabe o que deseja.

— E o que eu desejo?

— Fazer sexo comigo.

— Isso é bom ou é ruim?

— Talvez pra mim fosse bom, mas não seria bom pra você.

— Por que não seria bom pra mim?

— Porque eu não quero, então não seria como você quer.

— Podemos testar.

— Não preciso me testar. Me conheço bem.

— Eu abro mão de ser bom pra mim. Se for bom pra Dulce, me darei por satisfeito. Gosto de satisfazer as mulheres, em especial as bonitas.

— Seria algo incompleto. E eu não faço nada pela metade.

— Sempre tem uma primeira vez.

— Os homens perdem o charme quando mendigam sexo.

— Mas...

— Desculpe.

— A Dulce me decepciona.

— Por quê?

— Pensei que a Dulce fosse diferente.

— Diferente de quem?

— Das mulheres atuais.

— O que têm elas?

— Elas se interessam apenas pelos homens imaturos, alguém que elas possam modificar. É uma pena, minha querida, mas esse não é o meu caso.

— Ótimo!

88

Mercado de los Brujos

— Paco, você conhece alguma simpatia pra se ter sorte no amor?

— Claro, *don* Victor. Mas eu sou apenas um gerente de hostal; melhor o *señor* falar direto com um especialista.

(Alguns mochileiros que haviam chegado de madrugada estão deitados nas poltronas espalhadas pela recepção, esperam o horário do check-in.)

— E onde posso encontrar um especialista?

— No Mercado de los Brujos. Fica na quadra atrás da *iglesia* de San Francisco, aqui perto. Procure um *yatiri*.

— *Yatiri*?

— Um xamã.

(Victor desce a ladeira e logo se vê entre quiosques cheios de remédios naturais, tendas repletas de ervas e sementes medicinais, lojinhas atulhadas de bugigangas, *cholas* expondo roupas, bruxos oferecendo toda espécie de cura. Alguns vendedores mostram os produtos no meio da rua, atraindo os clientes mais curiosos para dentro das barracas.)

— O que é isto?

— É um feto de lhama ressecado.

— Pra que serve?

— Pra trazer boa sorte às novas habitações. Quando um campesino constrói uma casa, enterra um deles num dos cantos da obra, uma oferenda a Pachamama. Uma *cha'lla*, como dizemos em aimará.

— Pachamama?

— A deusa Terra.

— Essa semente, pra que serve?

— Pra todo tipo de indisposição física.

— E esta erva?

— Esta erva é especial, serve pra espantar os maus espíritos.

— Por falar em espíritos, onde posso encontrar um *yatiri*?

— Mais adiante, lá no fim do mercado. Eles usam chapéus pretos e uma algibeira cheia de folhas de coca. Mas os *yatiris* não atendem gringos.

— Sou brasileiro.

— Ah, um gringo *brasileño* acho que eles atendem.

— Então vou lá.

— Não vai comprar nada?

— Não, obrigado.

— Só esta pulseira.

— Não uso pulseira.

— Não é pro senhor, é pro *yatiri*. Sempre é bom chegar com uma oferenda.

(No caminho, Victor reencontra Ludovic.)

— Victor!

— Mas, olha só, o rei da sacanagem! Grande Ludovic! Como tá, seu malandro?

— Sigo a lutar. E você?

— Me divertindo.

— Gostei disso. Gostei mesmo. O que tem feito o amigo Victor?

— Vagado por aí. O mapa-múndi é o meu quintal.

— Ah, boa, boa. Você aprende ligeiro, hein, meu rapaz!

— Tive um bom mestre.

— Um bom mestre? Ah, gostei, gostei mesmo. Mas, olha, tenho uma novidade.

— Mulher?

— Adivinhou!

— Conta.

— Encontrei em Coroico, uma cidadezinha muito gira, a mulher dos meus sonhos: linda, charmosa, sexy e completamente descolada.

— Cara, você vai acabar se apaixonando.

— Ah, não exagera.

— Como ela é?

— Uma italianinha, meu tipo.

— Como se chama?

— Dulce.

— Dulce!? Transou com ela?

— Não, não foi dessa vez, mas não perdi as esperanças. Nos encontramos no hostal, na hora do jantar. Convidei a bela pra fumar um puro na varanda da casa, e batemos um papo.

— Ela fumou?!

— Não, ela não fuma. É uma pena, pois se fumasse teria sido mais fácil. Mas nos pusemos a conversar um bom tempo.

— E?

— Nada.

— Nada mesmo?

— Nada.

— Ela ficou lá?

— Saiu na manhã seguinte, bem cedo, ia pra Machu Picchu.

— Ela te convidou pra ir junto?

— Claro que não, pois.

— Se ela tivesse convidado, você teria ido?

— Se ela tivesse me convidado? Ah, mas claro! Se ela tivesse me convidado, o Victor acha que estaria aqui, em meio a esses bruxos? Não, meu rapaz, eu estaria lá com ela. Mas desta vez não vai dar. Embarco pra Madri e, de lá, pra casa; minhas férias estão a chegar ao fim.

— E a italiana?

— O mundo é redondo; mais cedo ou mais tarde eu a reencontro.

— E se outro a encontrar antes?

— Não tem problema, não sou ciumento.

— Pode ser eu.

— O Victor?

— Algum problema?

— Desde que o Victor não se apaixone.

— Conheço a sua teoria.

— Espero que o Victor não precise conhecer a prática. Porque, se o Victor cair na teia daquela aranha, nunca mais se libertará.

— Ah, tá. Vou pensar no caso.

— Vai pensar no caso? Isso aí. Gostei disso. Gostei mesmo. Mas vamos deixar ela pra lá, que mulher há em qualquer canto; amigos não. Quando o Victor vai ter comigo em Zurique?

— Assim que der.

— Vamos comer algo? Estou com fome. O Victor não está?

— Não muito.

— Mas eu estou. Descobri um ótimo restaurante aqui perto, vamos lá. Comemos, bebemos e conversamos.

89

Aeropuerto Internacional Vira-Vira
Santa Cruz de La Sierra

— O Gordo tá querendo mais dinheiro pra incluir as malas entre a bagagem dos outros passageiros. Disse que a fiscalização aumentou, tá correndo muitos riscos.

— Paga.

(A segunda maior cidade boliviana, conhecida por abrigar antigos fugitivos nazistas, transformou-se num centro empresarial, atraindo comerciantes de diversas partes do mundo, em especial do Brasil.)

— Não vamos ficar nas mãos dele? Estes cocaleiros não são de confiança.

— Temos metas a cumprir. Se a mercadoria não chegar ao Brasil, sobra pra nós.

90

Restaurant Le Petit Paris

— *Mozo, una Paceña bien fría.*

— *Sí, caballero.*

(Victor se impressiona com a sofisticação do restaurante.)

"Não imaginava algo parecido em La Paz, muito menos que Ludovic estivesse na cidade pra saborear comida francesa. Esse gringo tem cada mania!"

— Vamos comer molhos franceses?

— Claro que não! Vamos comer *trutas a la plancha*, o prato mais tradicional do norte da Bolívia. Trutas frescas, recém-pescadas no Titicaca.

— Por que então o restaurante francês?

— Sabem cozinhar.

— Pensei que nas férias você preferisse a comida simples dos restaurantes populares.

— Prefiro sempre o melhor, o melhor que estiver a minha disposição. Se o melhor que tiver pra comer lá no fundão do altiplano for um pedaço de pão velho, ótimo, saboreio com todo o prazer, pois estou lá pra isso, pra comer o que eles comem; mas, se estou numa cidade grande e o prato típico dos ricaços é trutas frescas, também como com prazer. O importante é provar de tudo.

— Você não pechincha, paga o valor que os caras pedem.

— É tudo muito barato.

— Mas dos gringos eles sempre cobram além do preço normal.

— Sei disso, mas não me importo. É a minha contribuição ao país. Não preciso vir aqui explorar os miseráveis.

— É, acho que você tem razão. Sou mais o seu estilo do que o estilo da Louise. Ela pechinchava cada centavo ao comprar algo.

— Ela não deixa de ter razão. Quanto menos o Victor gastar numa viagem, mais próximo estará dos costumes locais. Esta é uma regrinha básica; o povo não anda de primeira classe nem come em restaurantes sofisticados.

— Um país não tem só gente pobre, há ricos também.

— Sim, mas quem cria a cultura popular de uma nação, aquela de raiz, é a classe mais pobre. Os ricos apenas se apropriam dessa cultura. Então, se o Victor quiser mergulhar na essência do país, sobreviva com o mesmo dinheiro que os pobres vivem.

— Mas não precisamos ser tão radicais.

— Sim, e por isso eu digo: quando estamos a viajar, o segredo é saber se adaptar às realidades locais e tirar de cada lugar o que ele tem de melhor a nos oferecer.

— É uma boa filosofia de vida.

— Por falar em filosofia, o Victor pode me ajudar a enriquecer o vocabulário. Viajo ao Brasil nas próximas férias, Amazônia, já falei?

— Já.

— Preciso descobrir umas palavras-chave do português falado no Brasil, coisas que não aprendi no curso em Portugal e nem encontro nos dicionários. Em inglês se diz *slang*.

— Gíria.

— Isso, gíria.

— Tipo?

— Relação sexual.

— Ah, seu malandro! Já sei o que você quer.

— Já? Rapaz inteligente! Preciso falar a língua do povo, entende? São essas palavras-chave que preciso aprender. Quero saber a gíria popular, como o povo fala.

— Trepar. Mas é bagaceiro, como diz a Marta. Então é melhor dizer transar.

— Ah, gostei disso. Gostei. Deixa escrever que existem essas diferenças. Isto é muito importante; nesse assunto, cada detalhe é fundamental.

— Você, hein!

— O Victor não acredita? Olha, vou contar uma que me aconteceu em Bogotá.

— Vá lá.

— Viajei com uma colombiana, são as mulheres mais bonitas do mundo, essa em especial, e quando desembarcamos não havia táxi no aeroporto. Estava a chover, e eu disse pra rapariga que iríamos precisar correr atrás de um táxi. Ela ficou um pouco sem jeito, mas acabamos por dividir um táxi até o centro. No caminho, mais à vontade, ela explicou que *correr*, na Colômbia, é uma gíria e significa manter relações sexuais.

— Ah, é? Então você convidou a colombiana pra transar atrás de um táxi!

— Pois é. E se eu chego ao Brasil e convido uma brasileira pra *trepar* num táxi?

— É, tem disso.

— Olha só, tenho esta listinha aqui.

— Você é um grande cara de pau, isso sim.

— Obrigado pelo elogio.

— Vamos lá. Será a minha contribuição ao seu enriquecimento cultural.

— *Mozo, otra Paceña.*

— *Bien fría.*

— Como eu estava a perguntar...

91

Dudu

Dudu, vamos assassinar um suíço filho da mãe antes que ele encontre a Dulce de novo? Precisamos pegá-lo de surpresa; o cara é forte e cheio de manhas. Quando ele estiver tomando banho, nós entramos no banheiro, pé ante pé, abrimos a cortina e cravamos a faca. Como naquele filme antigo. Não vai ser original, mas e daí? O importante é que funciona, sabemos disso. Vamos agir na sombra.

92

Tiahuanaco

— Este é o mais importante sítio arqueológico do país. Foi o centro cerimonial de um povo que dominou a região antes da era cristã e desapareceu sem deixar descendentes. Os arqueólogos estão mapeando sua importância pelos vestígios da religião encontrados na área que mais tarde sediou o Império Inca.

— Impressionante!

(Victor ouve as explicações por alguns minutos, depois se afasta. Ele não faz parte do grupo, e o guia da excursão o estava olhando atravessado. Havia alugado uma bicicleta e agora passeia pelo lugar tentando identificar os monumentos mais importantes.)

"Droga, ainda me dói o joelho. Mas tá valendo a pena o esforço, é muito interessante."

(A lhama que cortara seu caminho, na estradinha de acesso ao parque arqueológico, o fizera cair, mas fora apenas um susto.)

"Dona Cândida, não se preocupe, não tô numa das avenidas de Brasília. Agora seu filhinho vai aprender a andar de bicicleta nem que caia dez vezes."

— As escavações encontraram megálitos pesando mais de quatrocentos e quarenta toneladas.

(Victor se vira ao ouvir a voz, um sotaque bem conhecido.)

— Mas olha se não é Ted e seu chapéu!

— Grande Victor!

— Vincent tinha razão, a *gringo trail* é bem estreita. Comprida, mas estreita.

— Bom rever os velhos amigos.

— Amigos que se faz na estrada, mesmo que em breves encontros, são amigos pra sempre.

— Virou filósofo?

— Tô plagiando um músico brasileiro.

— Ah, você e Vincent, sempre citando alguém importante.

— De onde você saiu?

— Estava ali, admirando a Porta do Sol. Você estava tão concentrado na leitura que não quis atrapalhar.

— Cara, aqui tá escrito que a origem destas pedras fica a quilômetros.

— Quando os espanhóis perguntaram aos nativos como as pedras foram trazidas pra cá, eles disseram que foi Viracocha, o deus de barba ruiva, que as trouxe. A partir de Tiahuanaco, ele reinava sobre toda a civilização.

— Viracocha tinha barba ruiva, como Vincent?

— Na imaginação deles, sim; por isso confundiram os espanhóis com ele.

— Me conta do Aconcágua.

— Tive muita sorte. Houve um acidente, uma avalanche, e um gringo polonês quase morreu. As fotos do resgate vão me render um bom dinheiro. Mas o Aconcágua já passou, *my bro.* Agora temos coisas mais interessantes em que nos concentrar.

— Por exemplo?

— Escalar uma montanha aqui perto. Quer me acompanhar?

— Você tá brincando? Nunca escalei uma montanha.

— Não se trata de uma escalada clássica. O Chacaltaya é alto, mas vamos de jipe até quase o topo, onde há uma pista de esqui; a mais alta do mundo. Aqui na Bolívia é assim, tudo é o mais alto do mundo.

— Já notei.

— Bem, você terá que subir a pé as últimas horas, que levam ao cume. É o que chamamos de "escalaminhada", uma caminhada montanha acima. Árdua, mas sem dificuldades técnicas. O grande desafio é a altitude; será um bom teste pra você.

— Não sei. Senti muita dor de cabeça em Potosí.

— Isso você resolve com uma aspirina.

— Aspirina?

— Sim, aspirina. Você nunca tomou aspirina? Ela é um vasodilatador, age sobre a pressão interna do corpo, em especial aqui. Sempre que você sentir dor de cabeça, por causa do ar rarefeito, tome uma aspirina.

— Só agora você me diz isso, depois que sofri por toda a Bolívia?

— Pensei que você soubesse.

— Ah, todo mundo acha que sei tudo.

— São coisas comuns!

— Comuns pra vocês, que andam pra baixo e pra cima que nem elevador.

— Bem, é assim que se aprende, *my bro*.

— É, tô sacando.

— Vamos ao Chacaltaya?

— Acha mesmo que eu conseguiria?

— A paisagem, vista do cume, é uma das mais dramáticas do mundo. Além do altiplano, veremos picos nevados e lagos turquesa, criados pelo degelo da cordilheira. E, se o dia estiver claro, dá pra ver o Titicaca.

— Não há perigo, risco de cair, me machucar, essas coisas?

— Não, não há risco físico nenhum. O desafio, como te disse, é a altitude. Olha, se você quiser ter uma experiência, mesmo pequena, em alta montanha, esta é a oportunidade. Pode confiar em mim, estarei ao seu lado.

— É parecido com a Trilha Inca?

— A Trilha Inca não tem passos tão altos como o Chacaltaya. Então, do ponto de vista da altitude, o Chacaltaya é mais difícil.

— Você acha que se eu escalar o Chacaltaya estarei preparado pra fazer a Trilha Inca?

— Está interessado na Trilha Inca?

— Quem sabe.

— O Chacaltaya será um bom teste.

— Não tenho roupas.

— Não precisa de muita coisa. Ficaremos poucas horas na montanha. Há uma loja de equipamentos na cidade; você está precisando de roupas mais apropriadas. Está na hora de jogar fora o ponche boliviano. E essas calças, então! Se pelo menos fossem de lã.

— Foi coisa da Louise, com aquela mania de não usar nada que venha dos animais.

— Você deve usar as roupas de acordo com a situação, sempre pensando no seu conforto e na utilidade prática delas. Você precisa de uma bota de trekking decente. Vamos lá, ajudo a escolher o equipamento.

— Botas de trekking?

— Sim, como esta que estou usando.

— Pensei que isso fosse uma bota militar, um coturno.

93

Cerro Chacaltaya — 5.400 metros de altitud

— Parabéns, você está no cume!

— Caramba, Ted, nem acredito.

(A montanha está coberta de neve, o pé afunda, deixando a caminhada extenuante. A nevasca é um desestimulante psicológico, o frio e a falta de ar são outro, ainda maior. A subida foi mais difícil do que Edward esperava. Para Victor, então muito mais difícil; embora ele não tivesse a exata noção do que estava superando.)

— Não dá pra acreditar que tô aqui em cima.

(O jipe, que deveria levá-los até perto do cume, não passou da metade do caminho. A trilha estava escorregadia, e por duas vezes o veículo quase foi jogado no precipício. Edward achou mais prudente seguir a pé, mesmo tornando mais difícil a missão do amigo. Mas nada falou, para não desestimulá-lo.)

— Contando, ninguém acreditaria.

— Pois é, *my bro*, você conseguiu, está no cume.

— É. Consegui. Incrível!

— Fácil, hein?

— Fácil? Senti medo e só não desisti na parte final pra não te desapontar.

— Ah, conta outra. Você não desistiu pra não desapontar a si próprio.

— Nada disso. Se eu fosse um cara mais humilde, teria desistido. Só não desisti por orgulho, porque a dificuldade e o medo foram grandes. Não queria te dar esse gostinho, não depois de você duvidar.

— Nunca duvidei.

— Você disse que eu não ia conseguir.

— Falei pra estimulá-lo. Lancei um desafio, e funcionou. Sempre funciona com pessoas imaturas.

— Seu miserável!

— Guarde energia pra descida, vai precisar dela. Chegar ao cume é apenas a primeira parte da escalada. Os riscos só terminam após a descida completa. Você subiu respirando a metade do oxigênio que se respira ao nível do mar, seu organismo fez um grande esforço pra se manter aquecido. Pra conservar o cérebro e os demais órgãos vitais em funcionamento, o sistema sanguíneo isolou algumas partes do seu corpo. Com isso, o sangue nem está chegando aos seus capilares mais finos.

— Tudo isso?

— Este é um momento histórico pra você: seu primeiro cume.

— Você tira uma foto antes que eu congele?

— Tiro, mas você está do lado errado da fotografia.

— Como assim, do lado errado? É a prova de que estive aqui. O vale está às minhas costas, vai sair de fundo.

— Por isso mesmo: o vale está às suas costas. Ele deve estar à sua frente, você olhando pra ele, lá embaixo, curtindo.

— Quer que eu fique de costas pra câmera?

— Meio de perfil.

— Como vão saber que sou eu?

— *Você* sabe.

(Ao descerem à base da estação de esqui, onde o jipe deveria esperá-los, encontram um turista espanhol. Está no refeitório do abrigo, tomando mate de coca, e faz sinal para entrarem.)

— Fiquei esperando pra avisar que o jipe de vocês desceu. Uma gringa mexicana que estava conosco se sentiu mal, coisas da altitude, e resolvemos baixá-la. Assim que o motorista a deixar no hospital, pra ela respirar um pouco de oxigênio, vem nos buscar.

— Sem problemas.

— Como está lá em cima?

— Muito bonito, tudo coberto de neve.

— Acho que vão demorar. Vou aproveitar e subir, me sinto bem. E ficar aqui parado só me deixa com mais frio.

— Você tem experiência em subir pela neve?

— Sim, não se preocupe.

(O gringo espanhol inicia a caminhada até o cume do Chacaltaya. Victor e Edward entram no abrigo, vão até a cozinha e preparam mate de coca.)

— Você está se sentindo bem?

— Só um pouco de frio. Devia ter me vestido melhor.

— Esse boné não esquenta nada. Tome, coloque o meu gorro. Quarenta por cento do calor que o corpo perde pro ambiente é pela cabeça. Por isso, se você estiver num lugar frio, nu, e tiver apenas um lenço pra se cobrir, cubra a cabeça.

— E você?

— Estou habituado ao frio, me basta o boné. Agora, coloque as mãos sob as axilas e logo elas estarão quentinhas. Depois, enfie nos bolsos da parca.

(Pelo vidro do refeitório, eles veem o espanhol subir pela encosta coberta de neve.)

— Tirar fotografia dá tanto dinheiro, pra estar sempre viajando?

— Às vezes dá, às vezes não dá. Depende de um pouco de sorte. Mas tenho outra renda, o aluguel de uma casa que meus pais me deixaram.

— Então você vive de renda, pode-se dizer.

— Um pouco sim, um pouco do meu trabalho. Mas a renda maior vem do aluguel. Sabe, não sou um empreendedor, não faço nada pelo meu país, se é isso que você quer saber. Sei disso. Os que vieram antes fizeram, e muito, foram uns heróis. Hoje está mudado. Se você tem uma pequena renda, está bem. Meus amigos pensam assim, eu penso assim. É a nossa geração, uma geração sem grandes sonhos nem grandes pretensões. É, é isso. Mas não tem problema, não me sinto culpado.

(Bebem mate de coca.)

— Hoje foi um grande dia. Nunca imaginei escalar uma montanha.

— Esta é das fáceis. Você precisa escalar uma montanha de verdade, e aqui há muitas. Mas já é uma vitória, claro. Não contra a montanha, ela não está competindo conosco, mas contra você mesmo, suas limitações. E montanha é bom também pra desabafar; elas são ótimas ouvintes.

— Sempre fui um cara tímido, em especial com as mulheres. Na escola, nunca tinha coragem de falar com as meninas, me declarar, essas coisas. Às vezes, mandava um bilhetinho, que elas quase sempre rasgavam. Uma vez, um desses bilhetes caiu nas mãos de um cara, e ele mostrou pra turma; foi um horror. Aí desisti dos bilhetes.

— E passou a falar pessoalmente com elas?

— Que nada. Fiquei mais na minha, até acontecer uma tragédia.

— Você dramatiza demais.

— Porque não foi com você.

— Agora fiquei curioso.

— Meu pai era militar. Era militar porque o pai dele tinha sido militar. E meu avô tinha sido militar porque meu bisavô tinha sido militar. E assim por diante.

— E você deveria dar continuidade à dinastia.

— Sim, e isso me levou ao Colégio Militar.

— Que castigo.

— Estava indo bem até que, lá pelas tantas, apareceu uma professora que me adotou, entende? Eu era tímido, e ela resolveu me dar aulas particulares, pela tarde, pra recuperar algumas matérias.

— Não!

— Pois é, cara, isso mesmo. Na época, não entendi o que estava acontecendo, e só bem mais tarde descobri o que significa ser seduzido.

— Casada?

— Com o diretor. Não aguentei a situação e larguei o colégio. Eu não gostava mesmo, foi o pretexto que faltava.

— Nesse caso, meus parabéns. Você foi corajoso.

— Bem, isso, de ser realmente uma vitória minha, ter largado o Colégio Militar, eu só me dei conta depois. Na época, me achei o último, o maior dos covardes, um irresponsável. A palavra correta é desertor. Isso que eu era, um desertor.

— Foi o que o seu pai disse, garanto.

— Sim, foi o que ele me disse: desertor. Eu era um desertor. Víamos muitos filmes de guerra em casa. O general gostava e convocava a família pra assistir. Durante anos, foi nosso programa de sábado à noite. Assistíamos aos filmes comendo pipoca, que minha mãe gostava. Isso de comer pipoca era coisa dela. E o general ali, sempre dizendo, diante das batalhas: um soldado pode tudo, guerra é guerra, e um soldado pode tudo, menos uma coisa: desertar.

— Pais são assim, desejam que sejamos a realização dos sonhos deles. Eu tive muitos problemas na infância e até na adolescência por causa do meu sexo. Meus pais queriam uma menina, e nasceu um menino. Além disso, o parto complicou, e minha mãe ficou sem poder gerar outros filhos. Olha, *my bro*, não foi nada fácil!

— Quando larguei a escola, dona Cândida queria que eu entrasse pro seminário, antigo sonho dela.

— É bem assim.

— O pior veio depois.

— Fala. A montanha está ouvindo.

— Você tem cada uma.

— A montanha sempre nos ouve. E, embora ela não fale, é possível conversar com ela. Você ainda vai descobrir isso. E, quando descobrir, aí, sim, vai ser um grande dia.

— Um ano depois o general morreu, teve um infarto. Morte fulminante. Sempre achei que foi por desgosto, pelo desgosto que lhe dei.

— Olha aí, o espanhol está chegando.

(O jipe volta para buscá-los, e os três descem para La Paz. No caminho, Edward comenta com o espanhol:)

— Meu amigo teve hoje uma grande vitória.

— Meu primeiro cume.

— Mais do que o primeiro cume. Hoje ele aprendeu a desabafar com as montanhas.

— Ah, isso é bom. Bom demais. Parabéns.

94

Central Telefónica de La Paz

— Alô.

— Alô.

— Ah, faz tanto tempo que você não liga, nem lembro mais da sua voz.

— Não tenho telefonado porque as ligações por aqui são difíceis.

— Mas, e se te acontece alguma coisa? Como vou ficar sabendo se você não me liga?

— Mãe, se me acontecer alguma coisa, você ficará sabendo em seguida. Notícia ruim corre ligeiro.

— Onde você está agora?

— Em La Paz.

— O quê? Não acredito! O que você faz aí?

— Passeando.

— Ah, eu sabia, eu sabia que você estava escondendo algo de mim. Meu Deus! A Bolívia está cheia de traficantes.

— Que novidade.

— Ontem prenderam um casal brasileiro vindo da Bolívia com duas malas cheias de máscaras de índios recheadas de cocaína.

— Indígenas, mãe, aqui eles chamam os índios de indígenas.

— Dá no mesmo.

— Os caras são criativos. Mas a polícia não dá mole pra eles.

— Sei não. A polícia, quando prende alguém, faz muita propaganda. Esse casal, preso ontem no aeroporto, ficou horas exposto à imprensa. E você sabe o que me chamou a atenção no noticiário da tevê?

— O quê, mãe.

— As malas deles. Eram iguais às suas. Tinha até uma fitinha vermelha presa na alça, como eu coloquei na sua, pra facilitar a identificação.

— Alô.

— Alô.

— A ligação tá ruim, mãe, não entendi o que a senhora falou. Alguma novidade sobre o concurso?

— Ainda não, mas espero que em breve te chamem.

"Ela ainda não perdeu as esperanças de ver o filhinho desfilando pelos corredores do Congresso Nacional, todo empertigado. Não tô mais levando fé. Acho que tá na hora de começar a pensar noutras coisas. Se eu posso escalar uma montanha como o Chacaltaya..."

95

Hostal Yatiri — Habitación Privada

— Foi uma boa ideia termos escolhido este quarto privado. Há semanas que só fico em dormitórios, aquele entra e sai.

— Aqui a gente descansa melhor. Hoje foi um dia puxado, a altitude nos debilita. Mesmo que não tenhamos feito muito esforço, só em permanecermos algumas horas acima dos cinco mil metros já desgasta o organismo.

(O Yatiri é grande, mas a maioria das acomodações é coletiva. Há apenas uma suíte e um quarto triplo. Além desses, só os dormitórios, que vão de quatro até vinte camas. Os maiores, por serem mais baratos, estão sempre lotados.)

— Estive pensando em conhecer Machu Picchu, já que estou por aqui.

— Então vamos juntos. Vou pra Huaraz, quero escalar o Huascarán, a montanha mais alta do Peru. No caminho, faço a Trilha Inca.

— Vou contigo. O Peru também deve ser um país interessante. E posso voltar de lá pro Brasil.

— Tem um ônibus no começo da manhã.

— Preciso comprar uma câmera fotográfica.

96

Dudu

Escalei uma montanha! Dá pra acreditar? Essa, nem você em seus melhores dias. Foi incrível. A sensação foi incrível. Sabe todas aquelas traquinagens que fazíamos? Fichinhas. Elas eram fichinhas perto do que fiz hoje. Estou no comando de novo! Nunca me senti tão feliz. Se eu fosse um cara rico, ou tivesse uma boa renda, como Ted, passaria viajando. Tá bom, Dudu, tá bom, eu sei, não precisa ficar lembrando: eu nem queria vir pra Bolívia. Mas como iria saber que era tão legal? Devo isso a Vincent. Por onde andará aquele holandês maluco? Olha, só em não ter dona Cândida me dizendo Victor faz isto, Victor faz aquilo, já é um alívio. Mas o bom mesmo é ter amigos, pessoas com quem se possa conversar, e botar o pé na estrada com eles. Ainda não sei se gostaria de viajar sozinho, acho que isso vem com o tempo, com a experiência. É, acho que é por aí. Mas você precisa ver a foto, eu lá no cume do Chacaltaya!

97

Amsterdam — Nederland

— Você viu como foi?

— Não.

(As pessoas vão chegando, e logo há uma multidão no local do acidente.)

— Eu vi.

— Como foi?

— Bem, vi em parte. Na verdade, ouvi o barulho. Quando cheguei, o motorista estava descendo do caminhão, nem cheguei a ver o ciclista.

— Será que o ciclista está morto?

— O ciclista morreu.

— O ciclista está vivo, senão a ambulância não o estaria levando.

— O motorista não se feriu.

— O caminhão não conseguiu parar a tempo.

— Os freios devem ter falhado.

— O ciclista estava na ciclovia?

— O caminhão invadiu a ciclovia.

— O ciclista morreu?

98

Via Rápida de Ómnibus para Copacabana, por el lago Titicaca

— A cordilheira tá ficando pra trás.

— Seu batismo no mundo das montanhas.

(A paisagem é espetacular. O tórrido altiplano emoldurado pelos cumes nevados da Cordilheira Real hipnotiza o olhar de Victor. Dentro do ônibus, as roupas coloridas dos bolivianos dão a pincelada surrealista ao mundo que ele vem experimentando nas últimas semanas.)

— Nunca imaginei que pisaria no cume destes picos nevados.

— Foi só o primeiro, Victor.

— E já foi muito.

— Nas próximas semanas, trocaremos a neve das montanhas pelas águas do Titicaca.

— Tivemos sorte em sentar no lado esquerdo do ônibus. Senão viajaríamos no sol. E o sol, nesta altitude, é mortal.

— Sorte nada, *my bro*. Quando comprei as passagens, pedi os bancos no lado esquerdo.

— Como você sabia?

— Pô, é só olhar no mapa. Na maior parte do tempo a estrada segue pro oeste. E, como estamos abaixo da linha do equador, o sol irá bater sempre no lado direito do ônibus.

(A viagem entre La Paz e Copacabana é lenta e demorada, uma manhã completa, deixa espaço para conversa e mais conversa.)

— Por isso, não vou cair no mesmo erro da Madame Bovary. Por ter abandonado o mundo real, possível, em busca de um amor idealizado, a infeliz quebrou a cara.

— Você não acredita num amor de verdade?

— Acredito desde que ele não seja o centro da sua vida. Você não pode é abrir mão de tudo o mais por causa dele. Porque o grau de expectativa que você colocaria em cima desse amor e as cobranças que você faria da pessoa amada, e de você mesmo, seriam insuportáveis, muito além das possibilidades do mundo real. Então, tenha uma vida moderada, um pouco de cada coisa; isso é possível.

— Escolhas, escolhas...

— Não tem como fugir. A nossa vida é o resultado das escolhas. E sempre que escolhemos uma coisa, abrimos mão de outras. Precisamos ter consciência disso. E, pra nossas escolhas serem as mais adequadas possíveis, precisamos levar em conta nossas prioridades, que mudam à medida que nossa experiência avança.

— Isso é verdade.

99

Lago Titicaca — 3.790 metros de altitud

— Vamos parar de novo.

— Por isso a viagem não rende.

(Nas horas em que o ônibus para, e para toda hora, algo quase impossível acontece: entra mais gente. E lá se vai. Até ele parar de novo, e mais gente embarcar.)

— O velho Titicaca. Faz tempo desde a última vez que passei aqui. Mas fiz o caminho inverso, vim de Qosq'o pra La Paz.

— Incrível como é azul.

— Azul-turquesa. Tenho belas fotos dele.

— Quem sabe você me ensina a usar esta câmera?

— Comece lendo o manual.

— Li ontem à noite. Queria aprender alguns truques, que só os profissionais conhecem e que deixam as fotos maravilhosas.

— Nada de truques, isso não existe. O que diferencia um profissional de um amador são as lentes, os filtros e a sensibilidade.

— Pelo menos umas dicas básicas.

— Essa câmera é automática, mas permite algumas programações.

— Não muitas, espero.

— Os três maiores defeitos das fotografias são enquadramento, foco e iluminação.

— Entendo.

(O ônibus para, o corredor fica tumultuado, pessoas descem e sobem; as conversas param. O ônibus reinicia a viagem, os passageiros se acomodam; as conversas prosseguem.)

— E não esqueça: mais importante do que a sensibilidade das lentes é a sensibilidade humana. Antes de fotografar, admire o cenário e defina o que você quer mostrar. Uma foto deve contar uma história, e isso você decide antes de pegar a câmera. E dê seu toque pessoal, aquele ângulo que só você percebeu.

100

Estrecho de Tiquina

— Mais uma vila.

— Huarina.

(O ônibus, que vinha costeando o lago, se afasta da margem e começa a subir. Um pouco mais adiante as montanhas estrangulam o Titicaca, formando um estreito por onde eles cruzarão.)

— Há uma ponte?

— Balsa.

(Passam por Huatajata e um pouco mais estão em San Pablo de Tiquina, na margem oriental do lago. Eles descem do ônibus, que segue sobre a balsa. Victor, Edward e os demais passageiros fazem a travessia em barcos pequenos.)

— Incrível!

— É, este é o único lugar no mundo, pelo menos no mundo que eu conheço, onde os passageiros vão num barco e o ônibus numa balsa.

— Não, não me refiro a isso, nem imaginava diferente. Me refiro ao tamanho da balsa onde vai o ônibus. Mal cabe ele!

(Pouco depois, descem em San Pedro de Tiquina, no outro lado do estreito. Voltam a embarcar no expresso Manco Capac e sobem por uma estrada sinuosa por sobre os precipícios que margeiam o Titicaca. O istmo, avançando lago adentro, os leva a Copacabana.)

101

Copacabana — 3.800 metros de altitud

— Victor, precisamos nos despedir duma pessoa muito querida.

— Nas últimas semanas o que mais tenho feito é me despedir dos amigos.

(Conversam no alpendre do hostal, em frente à praça. O domo da igreja, em estilo mourisco, domina a pequena cidade. Espremida entre dois cerros e a margem do Titicaca, ela deve seu nome ao deus aimará Copacahuana, representado por um peixe com cabeça humana.)

— Nossas despedidas são temporárias, estamos na mesma trilha, mas há os que partem pra sempre.

— O que você quer dizer?

(Os aimarás adoram Pachamama, o Sol e a Lua, considerados um casal, e uma série de espíritos, a quem dedicam suas *cha'llas*. Os incas, ao conquistarem os aimarás, adotaram seus deuses.)

— Acabo de checar meus e-mails. Tinha um da mulher do Vincent.

— Sério!? E como ele anda?

(Com a chegada dos espanhóis, o local foi transformado num santuário dedicado à Santíssima Virgem de Candelária. O escultor indígena Francisco Tito Yupanki, descendente do imperador Tupac Yupanki, foi a Potosí estudar arte e após oito meses de trabalho esculpiu em madeira a imagem da santa, hoje no altar.)

— Vincent nos deixou.

— Quer parar de falar por charada?

(Os milagres começaram a acontecer e Copacabana se transformou em um importante centro de peregrinação cristã.)

— Vincent faleceu.

— Você quer parar de brincar?

— Não é brincadeira.

— Como assim não é brincadeira?

— Vincent foi atropelado em Amsterdã e faleceu na semana passada.

— Faleceu? Vincent faleceu?

— Estava indo de bicicleta pra universidade quando o caminhão do lixo perdeu os freios e o esmagou contra uma parede.

— Não pode ser, cara, não pode ser. Você deve estar enganado!

— Ele iria defender a tese de doutorado naquela manhã.

— Não pode ser.

— Atropelado pelo caminhão do lixo, *my bro*, você sabe o significado disso? O mundo perdeu seu último renascentista, morto pelo caminhão do lixo.

— Você tem certeza? Vincent morto! Não pode, não faz sentido. Foi o cara mais legal que conheci.

— Ele era a nossa parte boa.

— Qual é o sentido disso, Ted? Precisa haver algum sentido.

— O pior é que não há nenhum sentido. Somos vítimas, e a tragédia nem tem segundo ato.

— Não dá pra acreditar. Não dá pra acreditar. Que droga, hein? Que droga!

— Precisamos avisar Louise.

— Louise? Até havia me esquecido da Louise.

— Vou mandar um e-mail pra ela, a garota era apaixonada por Vincent.

— Pera lá, pera lá! A Louise era apaixonada por Vincent?

— Sim.

— Ah, então foi por isso que ela transou com ele.

— Não, não fizeram amor. Ela até desejou, mas ele não quis; era fiel à esposa.

— Mas ele me contou que comeu a gringuinha.

— Talvez tenha sido um mal-entendido entre vocês, sei lá.

— Sei lá, sei lá. Tô cheio disso tudo. Por que eles conversavam essas coisas contigo e não comigo? Por que esconderam isso de mim? Só você era de confiança?

— *My bro*, você quer saber tudo ao mesmo tempo. Calma. *Step by step*, Victor. *Step by step.*

— Pensei que fôssemos amigos.

— Sempre fomos amigos. Mas existem assuntos que as pessoas preferem tratar com uns e não com outros. Precisamos respeitá-las.

— Que tipo de assunto?

— Os que nos fragilizam, por exemplo. Como admitir que se é fiel à esposa numa época destas, ou confessar que gosta de alguém mas não é correspondido. E muito mais. Todas as pessoas têm seus pontos frágeis, e elas nunca falam neles antes da hora certa. Precisa haver um clima. Ainda há muita coisa pra você saber, *my bro*. Espere chegar a hora adequada.

— Detesto me sentir excluído.

— Vamos até a catedral fazer uma *cha'lla* pela alma do nosso amigo e depois avisamos a Lou.

— Se é assim.

"É demais. Vincent morto! Não dá pra acreditar. É coisa demais fora do lugar. Louise apaixonada por ele? Queria dar pra ele, mas ele não quis? Ludovic tem razão: quando elas não querem dar, não dão, e pronto. Mas, quando querem dar, dão! Resumindo: as mulheres estão no comando. E Vincent lá, fiel à esposa. Dá pra acreditar? Ted sabia de tudo e escondeu de mim. Ah, tem hora pra saber. Me acham criança? O que será que ele ainda esconde de mim? E agora esta, Vincent morto, isso não faz sentido! Que coisa!"

102

Vincent

Querido Vincent, escrevo *no diário que você me deu. Primeiro, pra agradecer o presente. Tem sido muito útil. Não apenas pra fazer anotações, mas também pra me ouvir em alguns momentos delicados. Como este. Você tinha razão: ele é o mais fiel parceiro de um viajante. Escrevo também pra que saiba quanto sua partida significou pra mim. Pois, se a vida se esvai no primeiro ato, como diz Ted, as minhas crenças perdem o foco; nada faz sentido. Ludovic acredita que nossas vidas são o resultado do constante enfrentamento das forças antagônicas que habitam nossa mente, e que as duas mais poderosas são o amor e a morte. O amor vence todas as batalhas, mas no fim a morte vence a guerra. E isso, essa injustiça, não faz sentido, pois ela torna o ser humano inviável. Pior é que ele tem razão. Ludovic tem razão. Ao vencer essa guerra particular contigo, meu amigo, a morte levou junto um pouco de nós. Um pouco de mim, em especial. Ou, pelo menos, um pouco da minha fé na possibilidade da vida ter um segundo ato. Tentei fazer uma oração, mas nem isso consegui. Como dirigir uma prece a quem tem poder e usa esse poder pra matar pessoas como você, em plena atividade? Não sei mais no quê, ou em quem, acreditar. Mas uma coisa te prometo, meu amigo: farei algo em teu nome. Se não posso fazer mais nada por ti, farei algo pra quem precise, e farei em teu nome. Não sei o quê, mas um dia farei algo em teu nome, e será algo grandioso. Prometo. Fico por aqui, não sei mais o que escrever. Vou ler um livro, destes que você deixou comigo. Talvez isso faça sentido. Adeus.*

103

La Paz

— Polícia Federal, Divisão de Narcóticos.

— Em que posso ajudá-los?

(A recepção do Yatiri está vazia no meio da tarde; a turma passeia pelas ruas da cidade, escala montanhas nevadas ou faz trilhas pela cordilheira. Paco recebe os policiais ali mesmo, escorado no balcão de atendimento.)

— Você conhece este cartão?

— Sim, é um cartão do hostal, com nossos dados. Distribuímos aos hóspedes pra eles usarem caso se percam na cidade. Ou queiram nos indicar aos amigos. Recebemos muitos estrangeiros, a maioria não fala espanhol.

— E o que está escrito aqui atrás?

— Paco, dê um desconto ao casal. Victor.

— Paco é você?

(Perguntou o policial mais alto, com jeito de brabo.)

— Sim, sou o gerente.

— É seu amigo?

— Não. Apenas um hóspede indicando o hostal. Isso é comum. Aliás, é o principal motivo de distribuirmos os cartões.

— Você tem os registros dos hóspedes?

(Perguntou o policial mais baixo, com jeito de bonzinho.)

— Anotamos os dados nestes cadernos, mas quando eles ficam cheios, e ficam cheios todas as semanas, jogamos fora e abrimos outro.

— Não guardam os cadernos?

— Não dá, encheriam um quarto. Passa muita gente por aqui, e a maioria fica um dia ou dois. Mas nunca tivemos problemas; o tipo de turista que hospedamos não se envolve com a polícia.

— Um bom motivo pro hostal ser usado pelo tráfico.

— Há algo errado?

— O cartão foi encontrado dentro de uma mala apreendida na alfândega brasileira, no Rio de Janeiro.

— Apreendida?

— Cocaína. A mala estava cheia de máscaras de Oruro recheadas com a droga.

— Quando essas histórias vão acabar? Isso é ruim pro nosso turismo. Não fossem as drogas, seríamos um país rico, atrativos naturais não faltam.

— Você sabe pra onde foi o gringo?

— Não!

— Caso lembre, nos avise.

(Disse o policial mais baixo, o com jeito de bonzinho.)

— Porque, se descobrirmos que você guardou as malas aqui mas não quer nos ajudar, você será considerado cúmplice desse traficante.

(Disse o policial mais alto, o com jeito de brabo.)

— Mas os traficantes não foram presos?

— O casal foi preso, mas eram apenas mulas. Queremos o tal Victor; ele deve ser o dono das malas.

— Victor, hein, quem diria.

(Quando os federais estão saindo, Paco os chama de volta.)

— Me lembrei duma coisa. Devo ter por aqui um e-mail do Victor autorizando o hostal a entregar as malas dele ao casal brasileiro.

— Então desta vez não foi roubo, ele está mesmo envolvido

104

Isla del Sol

— Ted, não tô a fim de ir até a ilha.

— Mas, Victor, é o passeio mais interessante do Titicaca!

(Os aimarás e quíchuas que vivem na Bolívia e no Peru têm na Ilha do Sol as suas raízes.)

— Pode ser, mas não tô com espírito pra essas coisas.

— É, você tem razão, eu também não estou. Mas eu conheço o lugar, e você não conhece.

— Ah, fica pra outra vez. Vamos embora desta cidade.

— Direto pra Puno?

— Melhor, né?

105

New York

— *Your blood count, Sir.*

— *Thank you.*

(Ele sai do laboratório com o envelope na mão. Pensa em colocá-lo na bolsa, mas desiste. Quer olhar o resultado do exame de sangue, mas não quer olhar. Seria legal abrir e ler "não reagente", mas não quer abrir.)

"E se estiver escrito 'reagente'?"

(Faz frio, muito frio; a umidade ultrapassa a gabardine. O dia está cinza, a neve cai em flocos pesados, as ruas estão entupidas de carros. Ele nunca viu tamanho congestionamento. As pessoas estão apressadas, querem voltar para casa, e se põem a buzinar. A noite está caindo. Nova York, nessa época do ano, é uma cidade triste. A melancolia das grandes avenidas dói na alma, ressoa nos batimentos cardíacos.)

"O envelope está lacrado, difícil abrir."

106

Puno — 3.830 metros de altitud — Perú

— Victor, precisamos conversar.

— Vamos sentar lá fora, na Plaza de Armas, e tomar um mate de coca.

(Principal cidade peruana às margens do Titicaca, a capital folclórica do país celebra diversas *fiestas* durante o ano, sendo mais famosa a Gran Parada de Veneración Virgen de la Candelaria. Victor e Edward chegam durante as festividades.)

— Não, aqui mesmo. Tem muita gente na rua. As mochilas estão prontas, saio em seguida. Preciso voltar a Nova York.

— Ué, pra que tanta pressa? E a escalada do Huascarán?

— Acabo de receber um e-mail com uma notícia terrível.

— Ih, cara, vira essa boca pra lá. Agora você só traz notícia ruim.

— Complicou, *my bro*, complicou tudo.

— O que foi assim tão grave?

— Meu companheiro não estava se sentindo bem, isso há alguns dias, e na semana passada se submeteu a uma bateria de exames. Saíram os resultados. Foi diagnosticado que ele é soropositivo.

— Você quer dizer... aids?

— Sim, ele foi infectado pelo vírus HIV.

— Seu amigo tá com aids?

— Companheiro. Vivemos juntos há quatro anos.

— Pera lá, pera lá! Você e seu companheiro vivem juntos há quatro anos, é isso?

— Sim.

— Você quer dizer... como... casados?

— Sim.

— Peraí, peraí. Então você é...

— Homossexual? É isso que você quer dizer? Algum problema?

— Como assim, algum problema? Você vive por aí, mundo afora, escalando montanha, um super-herói, e agora vem e me diz que é gay! Não dá pra acreditar. Pô, cara, não dá pra acreditar. Me desculpe, mas não dá pra acreditar.

— Por que não dá pra acreditar?

— Ah, sei lá. Você não leva jeito, essas coisas. Cheguei a pensar que você estava dando em cima da Louise.

— E ficou chateado comigo?

— Não era pra ficar?

— Bom, então você precisa se definir se fica chateado por eu sentir tesão por Louise ou se fica chateado por eu não sentir tesão por ela.

— Tá, tá. Eu não tenho nada contra. Nada mesmo. Mas cresci noutro ambiente, mais conservador.

— As convenções sociais indicam apenas um limite, nunca uma fronteira.

— Ah, se você soubesse o que o general dizia sobre os homossexuais.

— Espero que você não tenha a mesma opinião do *general.*

— Não, não tenho!

— Victor, vamos encurtar o assunto. Me diz: somos ou não somos amigos?

— Somos, nem precisa perguntar. Mais do que amigos. Pra mim, você é um ídolo. Até escalamos uma montanha juntos. Imagina! Escalar uma montanha, cara, sabe o que é isso? Porra!

Nunca me passou pela cabeça escalar uma montanha. De repente, me vejo no cume de uma baita montanha com você. Puta que pariu! Formamos uma dupla e tanto naquele cume, uma parceria afinada. Você mudou a minha vida, cara, me mostrou um mundo que eu nem sabia que existia. Ted, você é um parceiraço.

— Mas pena que sou gay!

— Ah, também não força, né?

— Victor, você é um cara legal, um amigo como há tempos eu não encontrava na estrada e não vou te perder pro maldito preconceito.

— Não sou preconceituoso!

— Ótimo. Então, me diz: a minha orientação sexual, seja qual for, muda alguma coisa em nossa parceria nas montanhas? Tudo isso que você falou de mim, de amizade, tem alguma coisa a ver com a minha sexualidade?

— Não, né!

— Então, meu amigo, se a minha orientação sexual não interfere na nossa amizade, tanto faz qual seja ela. Concorda?

— É... concordo.

— Victor, você é um bom rapaz. Você me fez mudar a imagem que eu tinha dos brasileiros. Agora, é a vez de você mudar a imagem distorcida que você tem dos homossexuais. Você é um cara inteligente, sabe do que estou falando.

— Sei, cara, sei. Olha, você me desculpe, mas você também precisa entender que nunca tive um amigo gay antes, essas coisas. No Brasil há muito preconceito.

— No Brasil e no mundo todo. Mas você não precisa ser um desses preconceituosos.

— Não sou preconceituoso!

— Continuamos os mesmos amigos de antes?

— Claro.

— Bom, então vamos falar do que interessa: preciso achar uma forma de ir até Qosq'o pegar um avião pra Lima e de lá pra Nova York.

— Ted, me diz uma coisa.

— O quê?

— Qual o nome do seu parceiro?

— Jimi.

— E como ele tá?

— Não sabemos. Ele vai realizar mais exames, diagnosticar o nível da contaminação, essas coisas, como você diz.

— Ted.

— Sim.

— Mais uma coisa.

— Fala.

— Desculpe perguntar, mas você também pode estar com essa doença?

— Espero que não. Provavelmente não. Quando conheci Jimi, ele era usuário de drogas injetáveis. Foi um grande problema. Mas resolvemos. Só fomos morar juntos porque ele me prometeu largar as drogas. Fizemos exames e tudo, tudo legal.

— Então, na sua ausência, ele voltou a usar drogas.

— É o que imagino. Deve ter se deixado levar por algum antigo companheiro; ele é muito suave, não sabe dizer não. E se contaminou.

— Ted.

— Sim.

— Outra coisa.

— Diz.

— Você não vai morrer, né?

— Não!

— Você não pode morrer. Seria demais pra mim. Olha, eu nunca tive um amigo como o Vincent. Pô, que cara!

— Nem eu.

— Perdemos Vincent, Ted. Agora, se eu perder você, cara, pô não dá, é muita sacanagem. Não posso perder você também, cara. Porra, cara! Que vida de merda!

— Victor, ninguém vai morrer. O diagnóstico de soropositivo hoje é menos fatal do que o diagnóstico de câncer, pra você ter uma ideia. Há casais sorodiscordantes que vivem juntos sem que um infecte o outro. O maior problema ainda é o preconceito.

— Me desculpe.

— Não precisa pedir desculpas, *my bro*. O seu preconceito, vamos dizer assim, era por desinformação. O problema, Victor, é o preconceito da intolerância. O daquelas pessoas que, mesmo bem-informadas, continuam condenando os outros simplesmente porque são diferentes delas.

— Quer que eu vá contigo até Lima?

— Não, não é necessário. Você continua a sua viagem, eu sigo a minha. A vida é assim, *my bro*, que se há de fazer?

— Não vamos nos ver mais?

— Vamos, claro. Assim que der, você vai me visitar.

— Vincent disse a mesma coisa, e veja só.

— Pois é, pra você ver, nunca imaginamos isso.

— Se eu não for a Nova York, você me visita em Brasília.

— Sim. Olha, quero deixar um presente contigo, uma lembrança minha. Fique com o chapéu.

— Ah, não, o que é isso!? Você adora esse chapéu, nunca o vi sem ele.

— Por isso mesmo.

107

Dudu

Dudu, sem comentários. Preciso pensar, garoto; preciso pensar. Antes desta viagem, eu tinha respostas pra tudo, agora não sei mais nada; só tenho perguntas. Será que estou desaprendendo? Que reviravolta! Isto não faz sentido. Nada mais faz sentido. Não sei viver assim, com os pedaços espalhados por aí. Parece que partes de mim vão ficando pelo caminho. Nada mais faz sentido. Quanto mais coisas novas eu descubro, parece que mais perco. O que tá me acontecendo? É tudo muito complicado, está ficando tudo muito complicado, difícil de entender. Esta noite serei apenas eu e o travesseiro; você está fora. Nem sei se verei Ted de novo. Que vida de merda esta! Melhor não ter amigos, não sair de casa; aí nada disso acontece. Isso não faz sentido.

108

Copacabana

— Bom dia.

— Bom dia. Em que posso ajudá-los?

(Há um grande movimento em frente à catedral. Os motoristas trouxeram seus carros para serem abençoados pelos franciscanos, uma tradição local.)

— Somos da Polícia Federal, Divisão de Narcóticos, e estamos procurando pelo senhor Victor. Ele está hospedado aqui?

(Perguntou o policial mais alto, aquele com jeito de brabo.)

— Estava, mas foi embora.

— Quando?

(Perguntou o policial mais baixo, aquele com jeito de bonzinho.)

— No meio da semana.

— Pra onde?

— Pra Yunguyo.

— Cruzou a fronteira?

— Imagino que sim.

— Deve ter ido pra Puno.

(Disse o policial mais baixo, aquele com jeito de bonzinho.)

— Vamos avisar a polícia peruana e a Interpol.

(Disse o policial mais alto, aquele com jeito de brabo.)

109

Lan House Nuevo Mundo
Centro de Puno

— Show!

— Falei que seria fácil.

(As confrarias, com suas roupas típicas, desfilam pelas ruas centrais de Puno. Muita bebida, homens mascarados e mulheres com as pernas de fora dão o tom profano à *fiesta* religiosa. Quem não está fantasiado acompanha das calçadas, a alegria é contagiante. Chove, uma garoa, nada que tire o ânimo dos devotos/foliões.)

— É, foi mesmo. Pra quem tinha preguiça de acessar os e-mails, ter uma página no Facebook e um blog é demais.

(Victor paga e sai da *lan house* informatizado.)

"Assim que der, vou postar umas fotos e mandar e-mails pra alguns amigos, que nem de longe imaginam por onde eu ando. Apesar de que a galera não vai curtir: Bolívia e Peru não é o tipo de viagem que eles fariam."

— Ah, se vocês soubessem!

(Entra em um comedor popular e pede *chicharrón de chancho,* o prato que há dias tem vontade de comer. As chuletas de porco fritas vieram acompanhadas de batatas douradas, salada de cebola e folhas de hortelã.)

— *Una Cusqueña bien fría, por favor.*

110

Islas Fluctuantes de los Uros

— Até que ficou bom.

(Victor posta o primeiro texto no blog.)

Visitei as ilhas flutuantes, um lugar incrível, pois não existe nada igual, em nenhuma outra parte do mundo. Estão localizadas na baía de Puno, no lago Titicaca, onde vivem os uros, uma mescla dos antigos uros e os modernos aimarás. Elas foram construídas no meio do lago, pra acolher o povo e protegê-lo dos ataques dos incas. E a tribo nunca mais saiu de lá. Não apenas a ilha, mas tudo sobre ela, como as casas e os barcos, é feito de totora, um junco abundante nas margens do Titicaca. Existe até um restaurante em uma das ilhas, onde almocei trutas pescadas ali mesmo. Elas são fritas num fogão de barro, construído no lado de fora da casa de totora. Não estivessem no meio do lago, o risco de incêndio seria grande. Construída em diversos níveis, o junco deteriorado pela água é compensado por novas camadas acrescentadas à superfície. Caminha-se sobre um chão fofo, correndo-se o risco de cair e se machucar. Como os indígenas estão acostumados, quem sofre são os visitantes. Por algum dinheiro é possível fazer um passeio pelo Titicaca numa canoa de totora. Se você tiver coragem, como eu tive, faça.

111

La Terminal Terrestre de Puno

— A que horas tem ônibus pra Qosq'o?

— Nove da noite.

(Os que vêm de Qosq'o vão para Copacabana, na Bolívia, e os que vêm de Copacabana seguem para Qosq'o. É o roteiro natural ao longo do Titicaca. Victor, que está sozinho em Puno, e já viu tudo, decide continuar para o norte.)

— A que horas chega a Qosq'o?

— Às seis da manhã.

— Uma noite inteira no ônibus! Ele é bom?

— Sim, é um ônibus fabricado no Brasil. Tem até banheiro.

— Me dá uma passagem. Tem janela?

— Não. Tem um único lugar na fileira do fundo, na poltrona do meio.

(Por causa da *fiesta*, muitos não conseguem vaga nos poucos hotéis e seguem adiante.)

"É uma pena passar direto, uma cidade com tanto a oferecer. Mas fazer o quê? Quem tá na estrada é assim, precisa se sujeitar às circunstâncias."

— Bem, se não tem outro lugar, vamos nesse mesmo.

(Victor compra o *El Diario del Cusco*. Não tem o hábito de ler jornal, mas a foto da capa chamou sua atenção.)

"Olha só, que notícia!"

(Na noite anterior o ônibus que faz a linha Puno/Qosq'o caiu em um despenhadeiro. Dez pessoas morreram e trinta saíram feridas. O jornaleiro, ao entregar o diário, comenta com Victor:)

— Também, essas pessoas não aprendem. Viajar pela cordilheira de noite é um passaporte pro inferno.

112

London — England

— Mas desistir assim, ainda no começo do curso?

— Pois é, mas não era bem o que eu esperava.

(A professora está de costas para ela, olhando a neve cair no lado de fora da janela.)

— As próximas disciplinas serão mais interessantes, entram as aulas práticas.

— Não é só isso. Também não me adaptei à cidade, aos colegas. Tudo é muito cinza, desbotado. Sinto falta do sol. As pessoas são distantes, difícil fazer amigos.

— Você chegou no inverno. Logo o tempo melhora e fica mais alegre.

— Sei, mas há outros motivos. Deixei minha família, meu namorado. Não vale a pena me afastar de todos eles por um curso de que não estou gostando.

— Namorado, é?

— É.

— Olha, sou apenas sua orientadora, não devia me intrometer na sua vida pessoal, mas...

— Já decidi.

113

Qosq'o — 3.326 metros de altitud

— Ah, eu sabia, eu sabia. Por que não usei a internet antes?

(Em uma *lan house*, ainda no terminal rodoviário, Victor acessa o blog de Dulce e descobre que ela está na cidade.)

"Não será difícil saber em que hostal ela tá hospedada, basta ver o mais barato citado no guia de viagem. Aqui. Vamos nessa."

— Quanto custa a corrida até o Hostal Royal Qosq'o?

— Vinte *soles*.

— Por que é tão caro?

— Estamos longe do centro. E nem é tão caro assim.

(Menos de uma hora depois ele se encontra hospedado no Royal Qosq'o. Percorre a cozinha, a sala de jogos, a biblioteca, o bar, o restaurante, passa em frente aos banheiros; nada. Decide ser menos sutil.)

— Procuro uma amiga, se chama Dulce; tá hospedada aqui?

— Italiana?

— Sim.

— Está.

— Sabe aonde ela foi?

— Se é quem estou pensando, foi visitar a catedral.

114

Periferia de Oruro — Bolivia

— Entrem com cuidado.

— Polícia!

(Os federais arrombam a casa do presidente da Cooperativa dos Cocaleiros.)

— Não há ninguém, tudo abandonado.

— Fugiram há poucas horas. Alguém deve ter avisado da batida.

— Perdemos a pista.

115

Catedral de Qosq'o

— Dulce!

— Victor?

(A igreja está quase vazia. Fora dos horários das missas, é necessário pagar para visitá-la.)

— Desculpe interromper sua foto, mas que coincidência, hein? Encontrar você aqui, ora, ora!

— Quem está na estrada acaba se encontrando.

— É verdade, é verdade. Este mundo é pequeno mesmo. Muito pequeno!

— Mas você parece um camaleão. Em nosso primeiro encontro você estava de terno e gravata, no segundo coberto com um poncho boliviano e agora com esse bermudão. Gostei também da camiseta. Você faz parte do Greenpeace?

— Comprei a camiseta pra ajudar numa campanha contra o desmatamento da Amazônia.

— Adorei o chapéu.

— Presente de um grande amigo.

— E suas melenas, onde estão?

— Pra quem anda dormindo em ônibus e se hospedando em hostales com banheiro compartilhado, cabelo comprido só atrapalha. E me liberto dos xampus e cremes, deixando a mochila mais leve.

— É, se pudesse, eu raspava a cabeça.

— E por que não raspa?

— Também sou prática, nada de frescuras, mas com uma exceção: sem meus cachos, não me reconheceria diante do espelho. Acho que teria uma crise de identidade na hora.

— Falei por falar. Você fica bonita com esse cabelo.

— *Grazie*. Tem feito boa viagem?

— Sim. Adoro mochilar por aí, meio sem rumo. Um dia nas montanhas, outro nos lagos; um dia escalando, outro navegando. Essas coisas.

— Também gosto de improvisar.

— Os improvisos são a essência de uma boa viagem.

— E os imprevistos são o tempero.

— E a tal estrada da morte, como foi?

— Legal, tirando os chatos. Encontrei um cara chato no hostal, um suíço presunçoso. E que, veja só, fumava charuto e bebia uma cerveja atrás da outra.

— O mundo tá cheio dessa gente.

"Me desculpe, Ludovic, mas aprendi contigo."

— Era demais, parecia um... ah, deixa pra lá.

— Onde você tá hospedada?

— No Royal Qosq'o.

— Royal Qosq'o? Não acredito!

— Você também está lá!?

— Sim.

— *Prego!*

— Bem, não quero atrapalhar as fotos, eu já estava saindo. Ah, como estamos no mesmo hostal, que tal sairmos pra jantar, recuperar o tempo perdido?

— Que tempo perdido, Victor?

— Ah, modo de dizer.

— Pode ser.

— Então nos encontramos na recepção do hostal às oito. Combinado?

— Mas tem uma coisa, não sei se você se importa: sou vegetariana.

— Você é vegana?

— Não, Victor, só procuro não comer carne. Você é vegano?

— Não, sou apenas meio vegetariano.

— Meio?

— Aboli a carne vermelha.

— É?

— Do café da manhã!

— Ah!

— Tenho mesmo procurado uma alimentação mais saudável. Às oito, então.

— Às oito.

"Nem acredito! Como diz Uélinton: tá começando a chover na minha horta. Mas, cá pra nós, será que não é areia demais pro meu caminhãozinho? Claro que é, meu chapa! Não se enxerga? Pera lá, pera lá. Espero que ela não pense assim. Bem, nunca se sabe. Preciso me preparar. Mas como? Ela é um enigma, como atingir o coração dela? Acho melhor deixar rolar, como dizia Louise. Se tiver que acontecer, acontecerá. Ah, mas não custa nada dar um empurrãozinho, uma mãozinha pra sorte."

116

Backpacker's Bar

— Um pisco sour.

— Pois não.

(O bar noturno, ao lado das muralhas do tempo do Império Inca, está vazio. A essa hora, meio da manhã, o pessoal prefere caminhar pelas ruas coloniais, visitar as inúmeras igrejas ou os interessantes museus.)

— Outro pisco sour, por favor.

(O típico drinque peruano feito com pisco, um destilado de uva, é servido com clara de ovo batida, limão e açúcar. E caiu no gosto de Victor. O sabor adocicado disfarça o álcool, mas, tomada na altitude de Qosq'o, a bebida embriaga com poucas doses. E ajuda a passar o tempo.)

— Mais um pisco sour.

— Aqui está.

— Garçom, me diga uma coisa. Há por aqui algum restaurante especial onde se possa levar uma garota muito especial pra jantar?

— Há sim, ali em frente à Plaza de Armas.

— Qual é a comida mais típica do Peru?

— Ceviche.

— Leva carne?

— Não, é um prato à base de peixe. Filé de peixe cortado em cubos e marinado em suco de limão. É temperado com ervas e servido sobre cebola roxa crua, acompanhado com alface e batata-doce.

— Forte!

— O senhor quer almoçar? Temos um ótimo ceviche.

— Não, não. É pro jantar. Agora, tô sem fome. Por ora, me traz mais um pisco sour.

"Esta tarde vai custar a passar, melhor abreviá-la. Uélinton sempre diz que as mulheres não comparecem ao primeiro encontro. Espero que ele esteja errado. Ou, pelo menos, que Dulce seja a exceção, nem que seja só pra confirmar a regra. Ah, dane-se o Uélinton. Só porque tem um monte de mulher atrás dele, fica cagando lei. E aquelas patricinhas... ah, me poupe."

117

Blog da Dulce

— Acabou seu horário, *señora*.

— Vou ficar mais uma hora, ainda não terminei o post.

Qosq'o é a mais antiga cidade americana com habitação permanente. O primeiro inca, Manco Capac, foi encarregado por Inti, o ancestral do deus Sol, de encontrar o umbigo da terra (qosq'o, *em quíchua) e ali construir uma cidade sagrada. Ela se tornou a capital do maior império que as Américas já conheceram. Conquistada pelos espanhóis, o ouro e a prata foram saqueados, e os palácios destruídos pra que fossem construídas igrejas, como a catedral, onde passei o dia. Um dos mais extraordinários templos do mundo cristão, ela possui uma pintura da Última Ceia, do famoso artista quíchua Marcos Zapata, um exemplo da* Escuela Cuzqueña, *onde aparecem plantas e animais típicos dos Andes, como o* cuy *(porquinho-da-índia), dando um toque local a um dos mais famosos ícones do cristianismo. Em poucos lugares no mundo se vê uma mescla tão grande entre a cultura pagã, originária dos povos autóctones, e o catolicismo introduzido pelos europeus. A língua quíchua está ressurgindo no Peru e muitas cidades e ruas estão perdendo seus nomes espanhóis. A antiga capital, que em inglês se grafa Cuzco, voltou a se chamar Qosq'o, embora na maioria dos mapas permaneça a grafia espanhola Cusco.*

118

Locutorio San Juan Bautista

— Alô.

— Alguma novidade sobre o concurso?

— Não, nada. Mas tem outra novidade, também muito boa. Marta está aqui.

— Marta?

— Não lembra mais? Você andou bebendo ou é a viagem que está afetando a sua memória? Ela voltou ao Brasil. Não se adaptou em Londres e desistiu do curso. Tem me ligado quase todos os dias pra saber notícias suas. Mas nem eu sei por onde você anda.

— Já estou no Peru.

— E o que digo pra ela?

— Diz pra ela namorar o Uélinton, ela sempre se interessou por ele.

— Victor! Ela está aqui ao meu lado. Quer falar com ela?

— Mãe, mãe.

— O que foi?

— A ligação tá ruim, não consigo ouvir, vou desligar. Tchau.

— Alô! Alô!

— Ele desligou?

— Caiu a ligação.

119

Restaurante El Mesón Criollo

— Gostei do restaurante.

— Não é dos melhores, mas dá pra comer. Pelo menos é limpo.

(O restaurante, em frente à Plaza de Armas, está lotado; a maioria turista. Foge um pouco ao estilo preferido pelos mochileiros, mas não parece incomodar a italiana.)

— Você tem bom gosto, Victor.

— Se o melhor que tiver pra comer lá no fundão do altiplano for um pedaço de pão, tudo bem, saboreio com prazer, pois tô lá pra comer o que os nativos comem; mas, se tô numa cidade grande e o prato típico é sofisticado, também como com prazer. O importante é provar de tudo.

— Concordo. Como o que tiver, e, se for bom, melhor; mas também não abro mão da comida local.

— Então vamos comer um ceviche.

— Ótima ideia.

— E que tal um vinho?

— Estava pensando numa Inka Cola.

— Um vinho pra acompanhar o ceviche. Hoje é um dia especial.

— Especial?

— Esta cidade é especial. E bem-acompanhado, então...

— É verdade, adorei Qosq'o.

— Então, um vinho pra celebrarmos?

— Não sou de bebidas alcoólicas, mas uma taça de vinho pra acompanhar o ceviche eu aceito.

(Comem o ceviche e tomam o bom vinho escolhido por Victor.)

"Vou ter dor de cabeça, bebidas alcoólicas nesta altitude aumentam minha enxaqueca. Mas a noite está agradável, faz semanas que não me sinto assim tão bem. E Victor é todo ouvidos, uma simpatia. O que será que ele tem de especial? Preciso descobrir."

— O que você tem de especial, Victor?

— Eu?!

— É.

— Bem, pego assim de surpresa... O que eu tenho de especial? Acho que no momento só a mochila.

— É, é uma boa resposta. Com ela você pode viajar pra outro mundo, aqui mesmo neste mundo, um mundo especial, onde as coisas ordinárias perdem o sentido. As coisas e as pessoas.

— As pessoas também?

— Sim, também as pessoas. Sabe aquela coisa de média? Pois é, média tem a ver com medíocre. As pessoas que ficam na média geralmente são medíocres.

— Tem gente que nem alcança a média.

— Não estou falando delas, Victor.

— Fala de quem, então?

— Daquelas que poderiam estar acima da média, tiveram oportunidade pra isso, mas se acomodaram, desistiram; e ficaram pelo caminho. Vivemos numa época em que as pessoas abrem mão de tudo em prol de um pequeno conforto, uma geladeira nova, uma tevê de luxo, um emprego estável. Ah, se conhecessem a doutrina de Krishna.

— São pessoas sensatas.

— Esse é o problema: são pessoas sensatas, comuns, ordinárias. Estou fora disso. Quero algo maior pra mim, pra minha vida. Quero fazer a diferença.

— Isso não é ambição demais, Dulce?

— *Per favore!* Ambição é você não arriscar nada com a esperança de poder ganhar um pouco mais, acumulando coisas. Ambição é você já ter um carro e não gastar dinheiro com aquilo que lhe dá satisfação, prazer, alegria, pra trocar o carro no fim do ano e fazer inveja ao vizinho. Busco algo maior.

— Pra ser admirada pelos outros?

— Não, já disse: os outros não me interessam. Quero viver com densidade, intensamente, fazendo o que gosto, pra me sentir bem comigo mesma. Quando a gente descobre do que é capaz, não se sujeita mais a uma vidinha cheia de tédio. Quero um carma bom.

— A vida é um tédio depois do outro.

— Você pode quebrar essa inércia.

— Como?

— A vida é feita de altos e baixos, e nós precisamos fazer parte dessa gangorra, sentir o sangue nas veias; o coração tem que trabalhar. Não dá pra ficar só na parte intermediária, se conformando que está bom assim só porque existem outros em pior situação. Não podemos nos nivelar pela incompetência alheia. O nosso parâmetro precisa ser a nossa capacidade, e essa é ilimitada.

— Eu sou uma dessas pessoas comuns, né? Você tá se referindo a mim.

— Não, não falo de você. Você é uma pessoa extraordinária, embora ainda não saiba.

— Já me disseram algo parecido.

— Viu? Todo mundo vê, só você não quer ver.

— Por que não vejo?

— Porque ainda não se testou.

— E como poderia me testar?

— Quer mesmo?

— Quero.

— Quer mesmo se testar pra descobrir até aonde vão os seus limites?

— Quanto mistério! Você me assusta.

— Quer ou não quer?

— Assim no escuro?

— Assim no escuro.

— Tá bom: quero...

— Então faz a Trilha Inca.

— Fala sério?

— Por que não?

— Fazer a Trilha Inca! Um desafio e tanto.

— Então?

— Topo!

— Até onde você acha que consegue ir?

— Vou até onde você for.

— Tim-tim.

— Tim-tim.

120

Facebook

— Oi, Ted.

— Q novidade, hein? Quando vi o seu convite no Face, não acreditei. Vc não gostava de internet!

(Victor utiliza o serviço de internet do hostal, gratuito, para se comunicar com os amigos, e começa por Ted.)

— Eu me adapto.

— É, isso já notei.

— Q bom.

— Gostei da foto do perfil, vc no cume do Chacaltaya, meio de costas, olhando a paisagem lá embaixo.

— Foi bem enquadrada, o fotógrafo era bom.

— Ha-ha.

— Q bom q vc tá on line.

— Sempre fico on qndo estou em casa.

— Como vc tá ?

— Bem.

— Bem mesmo?

— Não tenho a doença, se é isso q vc quer saber.

— E Jimi?

— Está aqui ao lado, te manda um abraço.

— Vc falou de mim pra ele?

— Claro, mas ele não queria acreditar.

— Acreditar em q?

— Q encontrei um brasileiro q fala inglês. E ainda por cima loiro de olhos claros.

— Ah.

— E vc, como está?

— Encontrei a Dulce.

— Q Dulce?

— Uma italiana q conheci em Assunção e esperava encontrar no Peru.

— Ah, vc tbém tinha seus segredos, hein? E me criticou por ter segredos com Louise e Vincent.

— Pois é. É bem aquilo q vc falou: tudo tem sua hora pra ser revelado.

— E q tal?

— Perfeito.

— Ela está dormindo contigo?

— Não.

— Então o caso é sério mesmo.

— Por q vc diz isso?

— Pq mulher, qndo deseja apenas sexo, faz amor no primeiro encontro. Mas qndo ela tá a fim do cara, é fogo!

— Como vc sabe dessas coisas?

— Ah, me poupe, como vc diz.

— Espero q vc tenha razão.

— Tenho, vc logo vai descobrir.

— Ha-ha.

— Victor, tô saindo. Mas agora, q temos este canal, vamos falando.

121

Hostal Puma Dorado — Centro de Puno

— Pois não.

— Somos da Interpol. Procuramos pelo senhor Victor.

(Quando os policiais chegam, a recepção está agitada. Um grupo fez a reserva pela internet, mas o proprietário alega não ter recebido a confirmação, deve ter havido algum problema com o sistema.)

— Um gringo brasileiro?

— Sim.

— Estava, mas foi embora.

— Quando?

— No começo da semana.

— Sabe pra onde?

— Não, não sei.

— Estamos atrás dele, é um traficante perigoso. Pra onde vão os gringos depois de Puno? Você deve saber, está acostumado com esse tipo de gente.

— Descem pra Copacabana ou sobem pra Qosq'o.

— Deve ter ido pra Qosq'o, já passou por Copacabana.

— Esses gringos sempre me enganam. Esse, então: uma pessoa tão gentil.

122

Agencia de Trekking Mundo Inca
Qosq'o

— *Buenos días, Marcelito.*

— *Buenos días, doña Dulce.*

(A pequena agência de viagens, anexa ao hostal, está movimentada.)

— Este é Victor, um amigo. Decidiu fazer a trilha conosco. Dá pra incluí-lo no grupo?

— Lamento, *doña* Dulce, o grupo está completo. A agência tem permissão pra levar um grupo por dia, com no máximo quatro barracas, e já temos os sete *trekkers.*

— Sete?

— Sim. São dois em cada barraca, mais a da *señora,* que pagou pra dormir sozinha.

— Ele não pode ficar na minha barraca?

— Se a *señora* quiser...

— Victor, vamos dividir a barraca?

— Sem problemas.

— Então prepara o equipamento de camping pra mais um.

— Saco de dormir também?

— Sim.

— E bastão de trekking?

— Sim.

— Um ou dois?

— Um ou dois, Victor?

— Como?

— Você prefere um ou dois bastões de trekking?

— Ah, Dulce, decida você.

— Eu?

— Por que não?

— Dois.

— Ah, doña Dulce, havia me esquecido de perguntar: os seus bastões de trekking são com ponta de plástico?

— Não, são de metal. Os mesmos que uso pra esquiar.

— Bem, é que na Trilha Inca não são permitidos bastões com ponta de metal.

— Então acrescenta dois bastões pra mim.

— Pode deixar, *doña* Dulce.

"Bastões de trekking?! Ponta de metal?! Ih, meu chapa, você vai acabar entrando numa fria, hein? Trilha Inca. Vá com calma, vá com calma."

123
Avenida El Sol

— *Caballero, caballero,* há uma mancha nas suas costas, parece graxa.

— Não pode, acabei de sair do hostal.

(O peruano passa a mão nas costas de Victor e mostra, na ponta do dedo, um naco de graxa patente.)

— Deve ter caído de alguma marquise, quando o *señor* passava. Por sorte, estamos em frente deste bar, de um amigo. O *señor* entra, lá nos fundos *hay un baño*, e limpa sua jaqueta.

— *Gracias*, não precisa se preocupar.

— *Señor, señor...*

— *Gracias, y hasta luego, amigo.*

"Que filho da puta! Queria que eu entrasse nos fundos do bar pra me assaltar. No mínimo, sair correndo com a minha mochila enquanto eu tirasse a jaqueta."

124

Plaza de Armas

— Que lugar interessante.

— Seria mais bonito se os espanhóis não tivessem destruído quase tudo pra roubar as riquezas dos incas.

(A praça Huacaypata era o coração da capital inca. Ainda hoje, renomeada Plaza de Armas pelos Conquistadores, ela mantém sua aura de poder.)

— A bandeira com as cores do arco-íris, hasteada no canteiro central, representa o Império Inca.

— Pensei que fosse do movimento gay.

— Todos pensam. Mas ela significa a diversidade do Império.

— Deixa a praça mais bonita.

— Gosto de sentar nas praças e ficar observando as pessoas. Você não gosta de ficar assim, Victor, sem fazer nada?

— Gosto. Já cheguei a achar que ficar sem fazer nada era perda de tempo, agora mudei de ideia.

— Mudar de ideia de vez em quando é bom, sinal de adaptação.

— Tô me dando conta.

(A imponente catedral — construída no lugar onde ficava o palácio Viracocha, sede do governo imperial —, a igreja de La Compañía de Jesús — construída no lugar onde ficava o palácio de Huayna Capac, o último inca a governar o império antes da divisão em Norte e Sul — e as arcadas dos prédios antigos em volta da praça fazem dela um dos mais belos e bem preservados conjuntos arquitetônicos da América colonial. O lugar estimula uma boa conversa.)

— Quando meu pai saiu de casa, eu era uma adolescente. Ele trocou mamãe por outra mulher, bem mais jovem, decisão que eu não conseguia entender. Por isso, o odiava com todas as minhas energias. Mamãe não trabalhava, e ficamos as duas sozinhas. Cheguei a pensar que meu pequeno mundo havia desmoronado e eu seria engolida junto. Mas com o tempo fui descobrindo que minha vida futura dependeria mais das minhas atitudes no presente do que de qualquer trauma do passado. Ao minimizar a importância do meu pai, acabei por perdoá-lo. Custou, mas aprendi a trocar o julgar pelo compreender.

"Então é isto: minimizar a importância do pai. Como ela consegue?"

— Você acha que isto é possível, superar os traumas de infância?

— Claro, e sou a prova disso.

— Fiz um amigo nesta viagem, um cara legal, com quem escalei o cerro Chacaltaya, na Bolívia. Ele é fotógrafo especializado em natureza selvagem e vive pelo mundo enfrentando as maiores aventuras. Ele me contou, numa conversa na montanha, que os pais dele esperavam uma menina quando ele nasceu, e isso trouxe grandes dificuldades. E agora, antes de voltar aos Estados Unidos, pra minha surpresa, ele confessou que é gay. Você acha que isso pode ser consequência do fato de a família tê-lo tratado como uma menina?

— Pode ser, mas eu prefiro acreditar que a orientação sexual de cada um seja fruto de uma posição consciente, nunca um fator genético ou o resultado de traumas psicológicos.

— Fazer amigos é bom, né? Nesta viagem, fiz alguns amigos que nunca mais vou esquecer.

— Os novos amigos chegam com novidades, assim aprendemos com eles. Adoro encontrar gente assim como nós, que percorre o mundo em busca de evolução intelectual e amadurecimento emocional e psicológico. O contato com outras realidades amplia os nossos horizontes e nos ajuda a descobrir quem realmente somos.

— Falou a psicóloga.

— Por isso gosto de sentar numa praça movimentada como esta e ficar olhando as pessoas, imaginando como deve ser a vida delas. Cada ser humano é um mundo completo, e isso é fantástico. Somos como as estrelas. Quando uma pessoa morre é como se uma luz se apagasse no céu: o universo fica menor.

— Você gosta de analisar as pessoas?

— Não. Gosto de observá-las e aprender com elas.

— Eu tive uma namorada que, de tanto fazer análise, se achava doutora no assunto. Nossos encontros eram verdadeiras sessões de terapia. Era muita teoria e pouca prática. Não deu certo.

— Não se preocupe, não vou analisá-lo.

— Não quis dizer isso.

— Sei, estou brincando.

— Que bom.

— Vamos andando. Ainda temos que comprar alguns equipamentos pra você.

"É uma doçura essa Dulce! E caminhando, assim despreocupada, fica mais charmosa. Parece que está desfilando e ao mesmo tempo parece casual. É bonita ao natural. Bonita, sensual e inteligente. É demais, isso não existe. A perfeição não existe. Acho que são os meus olhos que a estão vendo assim. Só porque ela me trata com atenção. Não, nada disso. Ela é realmente uma mulher fascinante. Ou melhor: uma pessoa fascinante. O que será que viu em mim? Por que ainda não inventou uma desculpa qualquer pra se livrar de mim? Será que tá se sentindo muito sozinha? Ou sou eu que preciso me valorizar mais? Seja o que for, estou feliz. Preciso curtir este momento. Sei lá o que vai acontecer na Trilha Inca. E se eu der vexame? Não, que nada. Ted disse que o Chacaltaya é mais difícil e me saí bem."

125

Blog do Victor

— Ei, amigo, a conexão caiu.

— Sua hora acabou, *señor.*

(Victor atualiza o blog. Um pouco ansioso, querendo deixar boa impressão aos leitores, não se dá conta do tempo.)

— Estava pesquisando na internet e só agora vou começar a escrever.

— Mais uma hora?

— Sim, no mínimo.

— Pode continuar.

— Vamos lá:

Amanhã começo a realizar um dos grandes sonhos da minha vida: percorrer a Trilha Inca e chegar a Machu Picchu como os bravos guerreiros incas faziam: pelas montanhas. Não será fácil, é uma jornada árdua, mas estou preparado. Pra alguém como eu, que já esteve no cume do Chacaltaya, não deverá ser difícil. A trilha é bem íngreme, mas vale a pena: se trata do mais famoso trekking da América do Sul; talvez do mundo. Depende apenas do ponto de vista do observador. Pois onde quer que alguém viva, caso decida viajar pro norte ou pro sul, cruzando os polos, seu trajeto de volta pra casa será de quarenta mil quilômetros. Se alguém vive na linha do equador e for pro leste ou oeste, seu percurso de volta também será de quarenta mil quilômetros.

Resultado: esteja onde estiver, o observador estará sempre no umbigo do mundo. Pelo menos do seu mundo, e é o que interessa. Mas não é novidade, até os incas já sabiam. A partir do início da caminhada seremos apenas eu e a montanha, um desafio e tanto. Machu Picchu, aqui vou eu: me espere!

126

Locutorio Manco Capac

— Alô.

— Alô.

— Victor, meu filho, ainda bem que você ligou!

— O que foi?

— Uma notícia boa, formidável, divina.

— Fala.

— A liminar que impedia a contratação de vocês foi cassada em definitivo. Agora a nomeação é uma questão de tempo. De pouco tempo, espero. Você precisa vir imediatamente pra casa. Podem te chamar amanhã. E, se você não estiver aqui, vai perder a vaga. Deus me livre. Não posso nem pensar nisso. Alô, Victor, você está ouvindo? Está ouvindo, meu filho?

— Sim.

— Ouviu o que eu disse?

— Ouvi.

— Venha imediatamente pra casa.

— Alô.

— Alô. Tá me ouvindo?

— A ligação tá ruim.

127

Gringo Alley

— Pois não.

— Um pisco sour duplo.

(Dulce foi ao South American Explorers Club comprar alguns mapas e colher informações extras sobre a Trilha Inca, em especial ler os relatos deixados escritos nos arquivos do clube pelos viajantes mais recentes.)

— Outro, por favor.

(Victor aproveita para se despedir de Qosq'o tomando os últimos drinques no calçadão da rua Procuradores, conhecida pelos mochileiros como "Gringo Alley" graças aos inúmeros bares, cafés, restaurantes populares, hostales e pequenas agências de viagens sempre lotados de *backpackers*.)

"Desligar assim, na cara dela? O que deu em mim? Mas tá demais! Ah, dona Cândida, tá demais."

(A taquicardia provocada pela altitude, e que há tempos ele não sentia, voltou. Está suando frio, as mãos ficaram trêmulas, as pernas doem. Tenta afugentar os pensamentos ruins tamborilando na mesa com os dedos, mas o desconforto não passa.)

"Que coisa!"

(No começo da viagem, acordava de noite sem saber onde estava e isso o deixava angustiado. Com o passar das semanas, esse mal-estar foi desaparecendo, mas agora parece que está voltando. Não que ele não soubesse onde está, não; isso ele sabe muito bem. Mas a sensação é a de quem não sabe. Isto sim: sensação de quem não sabe onde está. Qosq'o, a cidade que mais gostou desde que saiu do Brasil, agora parece um lugar estranho.)

"Muito estranho tudo isto. Nem sei mais o que devo fazer. Nunca tive dúvidas em minha vida e agora tô cheio delas. Como pode? Umas coisas puxam pra cá, outras puxam pra lá; mas o que é isto? Não faz sentido. Andar por aí complica a vida da gente. Agora tô assim, um trem desenfreado prestes a colidir sabe-se lá contra o quê! Viajar é perigoso."

— Garçom!

128

El Valle Sagrado de los Incas

— Que paisagem, hein?

— Impressionante.

(O ônibus para em um belvedere na encosta da cordilheira e os passageiros descem para olhar o Vale Sagrado. Lá embaixo, o rio Urubamba vai se enfiando por entre as montanhas, alimentado pelas águas que despencam dos cumes nevados. As vilas atuais estão nas terras férteis, enquanto as ruínas das cidades incas se empoleiram nos picos mais altos, a melhor forma de se manterem protegidas dos inimigos.)

— As fortalezas de nada valeram contra os espanhóis, pois os incas os consideravam amigos. E, em muitos casos, deuses. Só mais tarde, quando se deram conta de que eram apenas saqueadores, tentaram se revoltar, mas aí era tarde.

— Você conhece bem a história dos incas, hein, Dulce?

— Li o que pude antes de vir pra cá.

— Você se preparou; assim a viagem se torna mais interessante.

— Você não preparou a sua?

— Eu nem vinha pra cá; foi tudo meio por acaso.

— Como assim?

— Ah, qualquer hora te conto.

"Se ela soubesse!"

129

Qosq'o

— Pois não, cavalheiros.

— Procuramos por um hóspede seu. E, não adianta negar, sabemos que ele está neste pardieiro.

(Os policiais se identificam, são da Divisão de Narcóticos. O atendente, um jovem cabeludo americano que trabalha na recepção em troca da hospedagem, tenta amenizar a situação.)

— De quem se trata?

— Um gringo chamado Victor Brasil.

— Não está aqui.

— Sabemos que está.

— Não, não está mais.

— Pra onde foi?

— Não sei.

— Ah, como não sabe? Pode falar, vamos!

— Foi pra Machu Picchu, como todo mundo.

— Está sozinho?

— Está acompanhado por uma italiana.

— Ah, com certeza algum contato da Europa. Então ele deve ser um peixe maior do que estamos pensando.

— Que tipo de peixe, se é que posso saber?

— Traficante.

— Ele não tem cara de traficante.

— Você por acaso quer fazer o nosso serviço?

— Não, não.

— Ele vai regressar pra cá na volta de Machu Picchu?

— Não sei.

— Sabe sim. Arrume um quarto pra nós, vamos esperar o gringo.

— O hostal está lotado.

— Que tal o seu quarto? Você pode dormir aqui na recepção.

— Ah, me lembrei: acho que temos um quarto nos fundos, um gringo chileno cancelou a reserva.

130

Pisaq — 2.715 metros de altitud

— Vamos lá, pessoal, vamos em frente.

— Vamos.

(O ônibus desce até a moderna Pisaq, no outro lado do rio Urubamba. É domingo, há um grande mercado na vila, os agricultores se encontram para suas trocas. Após a missa, rezada em quíchua, eles ocupam os quiosques com tudo que se produz no Vale Sagrado.)

— Adoro as roupas coloridas dos indígenas, tanto dos homens quanto das mulheres.

— É bonito mesmo. Pena que no Brasil não existam mais esses mercados.

(O ônibus sobe pela encosta no outro lado do vale, uma estradinha íngreme e perigosa. Pouco depois, chegam às ruínas da antiga Pisaq, no topo de uma montanha rodeada por abismos.)

— Olha só os terraços, onde faziam as lavouras.

— E o que são aqueles buracos, na parede da outra montanha?

— Tumbas saqueadas. Os espanhóis imaginavam que os incas fossem enterrados com os seus tesouros, como os egípcios, por isso profanaram as sepulturas.

"Tô começando a odiar os espanhóis."

131

Ollantaytambo — 2.800 metros de altitud

— *¿Hay habitación?*

— *Hay solo un cuarto con dos camas, señora.*

(Protegida por uma fortaleza no topo da montanha em frente, Ollantaytambo é o melhor exemplo de como os incas planejavam as cidades. Habitada desde o século XIII, a vila guarda a entrada do Vale Sagrado na selva. A partir dali, as montanhas começam a perder altitude até serem engolidas pela Amazônia.)

— Só um quarto?

— Época de festas, a cidade está cheia de turistas.

(Apesar do trem para Aguas Calientes sair da sua estação, a vila tem poucos hotéis, restaurantes e bares. E mesmo esses estão reservados pelas agências de viagens de Qosq'o para hospedar os grupos que descem o vale para conhecer as antigas cidades incas. Fica pouco espaço para quem viaja por conta própria.)

— Precisaremos dividir um quarto, Victor.

— Sem problemas.

"Que coisa! Não acredito que isto esteja acontecendo. Não assim, de graça! Calma lá, meu chapa. Calma lá. E agora? Dou ou não dou uma empurradinha na sorte?"

132

Dudu

Dudu, a Dulce dormiu comigo, no meu quarto! Tá bom: na cama ao lado. Conversamos até bem tarde da noite sobre a trilha, acho que ela percebeu a minha pouca experiência. Tá bom: nenhuma! Ô seu desmancha-prazeres! Espero não fazer bobagem na frente dela. Um segredo: já tarde, ela saiu do banho com uma blusinha e um short de seda. Meu Deus do céu! A luz do quarto estava apagada, mas vi tudo pela claridade do banheiro. Ela deixou a luz acesa, deve ter medo de dormir no escuro. Mas foi só isso. Ela me deu um boa-noite, deitou e caiu em sono profundo. E eu ali, ao lado, suando frio. Gelado. Quer dizer: eu estava em fogo, mas suava gelado. Nada do sono vir. Nem era pra menos, você não acha? Com esta mulherona dormindo tão pertinho de mim e eu sem poder fazer nada. Mas olha, que tive vontade, ah, isso tive. Mas não vou botar tudo a perder, como fiz com Louise. Deixa rolar, tudo vai acontecer na hora certa. Apesar de não ser fácil esperar. Quando adormeci, me aconteceu algo que não me ocorria desde quando eu era adolescente: sonhei que transava com ela e gozei. Dormindo! Pode? E imagina agora, dormir três noites na mesma barraca, numa temperatura abaixo de zero? O que vai ser de mim? Preciso resolver esse problema. Se o tesão subir pra cabeça, sou capaz de perder a cabeça. E ela é bem capaz de me deixar por lá, no meio do mato. Ah, não; se estragar tudo, eu me mato.

133

Ruínas de Ollantaytambo

— Aqui os espanhóis sofreram a primeira derrota.

— Já não era sem tempo.

(Os terraços na encosta abrupta da montanha protegeram a fortaleza contra os espanhóis.)

— Após ser derrotado em Saqsaywamán, nos arredores de Qosq'o, o rebelde Manco Inca se refugiou em Ollantaytambo, onde impôs uma grande derrota a Hernando Pizarro. Ao tentarem escalar os terraços, foram atingidos por uma saraivada de flechas, lanças e pedras, não conseguindo chegar ao topo da montanha. Os que sobreviveram morreram ao voltarem pro vale, inundado por uma rede de canais preparada pra receber os espanhóis.

— Bem feito!

— Infelizmente, a batalha não mudou a história da Conquista. As forças espanholas voltaram com um grande exército, reforçado pela cavalaria, e Manco Inca precisou recuar pra fortaleza em Vilcabamba.

— E o que aconteceu com ele?

— Vilcabamba, assim como Machu Picchu, nunca foi encontrada pelos espanhóis. Eram lugares de difícil acesso, nas montanhas em meio à selva. E, quando mudaram a capital da colônia pra Lima, eles se desinteressaram do Vale Sagrado, nada mais havia pra saquear.

"Que história! Só este negócio de Trilha Inca tá me deixando preocupado, se nem os espanhóis conseguiram! Não vou me arrepender? E se precisar voltar do meio do caminho? Nem sei se isso é possível. Bem, já escalei o Chacaltaya. E, se todo mundo vai, por que eu não conseguiria? Sou tão saudável quanto eles. E tem Dulce, claro; ela vai me ajudar. Me incentivou a vir, não vai me deixar pra trás. Mas o friozinho na espinha não tá passando. E meu coração bate acelerado demais pro meu gosto. Vamos lá, seja o que for, agora não dá pra desistir. Pensamento positivo. Isso, vamos lá."

134
Tren da Perurail para Aguas Calientes

— Me fale sobre a experiência na Índia.

— Mudou minha vida.

(O vale por onde segue a ferrovia que liga Ollantaytambo a Aguas Calientes, a vila ao pé de Machu Picchu, é de incrível beleza. Ela desce pelo cânion do rio Urubamba, uma sequência de curvas na borda dos despenhadeiros entre as altas montanhas.)

— Acredito. Se uma viagem pela Bolívia e Peru já muda a vida da gente, imagina pela Índia!

— Ninguém volta o mesmo após uma viagem, por menor que seja.

(As águas barrentas evoluem em alta velocidade, chocando-se com as pedras, aqui e ali despencando em abruptas cachoeiras. O trem é lento devido ao acidentado terreno, e a conversa vai longe. Victor quer falar, precisa conversar. Não sabe se pelo telefonema da mãe ou se pelo desafio que tem pela frente. Ora um, ora outro, ambos caem em sua cabeça.)

"Seguir em frente ou regressar? Logo precisarei tomar uma decisão. O que fazer? Como alterar um destino traçado desde que nasci? Seria como mudar o futuro, e isto vai além do meu poder."

— Me desculpe, Dulce, o que você estava dizendo?

— Que sempre vivi num mundo onde o importante era o conforto material e a diversão. Nada contra, mas a vida é mais complexa, e a Índia é o outro lado desta moeda. Enquanto estive lá, me surpreendia notar, cada vez mais, meu caráter se moldando ao estilo indiano de enfrentar as dificuldades. Antes dessa viagem, em virtude do meu conhecimento distorcido, encarava o conceito de carma com desconfiança.

— Carma?

— Carma é o efeito de cada ato sobre o seu próprio autor. Eu o classificava como uma desculpa, uma forma de culpar o destino pelos fracassos. Tipo: ah, é o meu carma! Lá, passei a vê-lo com o verdadeiro sentido.

— Religioso?

— Não, não no sentido religioso, mas nos aspectos práticos do dia a dia: realmente, somos consequência dos nossos atos. E, por analogia, nosso futuro depende das decisões que tomamos hoje. A novidade é que, se, por um lado, estamos presos aos desdobramentos dos nossos atos, por outro lado, podemos modificá-los a qualquer momento, alterando o presente. Resumindo: o futuro está em nossas mãos, e não nas mãos do que chamamos destino.

— Mais uma filosofia de vida do que uma religião.

— Sim. Como filosofia, isso me afasta dos hindus mais ortodoxos. Eles buscam a libertação pela renúncia, como fez Gandhi. Eles não agem porque isso provoca desdobramentos futuros, e não agindo acabam com a relação causa e efeito, isto é, acabam com o carma.

— É a maneira deles se libertarem.

— Sim, é a maneira deles se libertarem. Pra eles, a libertação se dá pela renúncia, pela não ação, uma forma de eliminar o carma. Mas é uma postura religiosa; é preciso ser um asceta pra colocá-la em prática.

— Não é pra nós.

— É cair no outro extremo. Não creio que a busca pela transcendência implique a renúncia da vida atual, esta aqui e agora. Há de haver um meio-termo, uma maneira de conciliarmos a vida terrena com a vida imaterial que nos espera após a morte física. Fui em busca dessa resposta e descobri que a opção pela renúncia não é a única. Há outra filosofia, defendida por Krishna.

— No Brasil, há uma religião chamada Hare Krishna.

— Não, não é religião. Hare Krishna é um movimento fundado pelo guru Caitanya.

— Ah, bom.

— Eu prefiro ficar com a concepção de Krishna, exposta no *Bhagavad Gita*. Já ouviu falar?

— Não.

— Krishna prega a libertação de outra forma, através da ação. Ele ensina que há um duplo caminho pra libertação, a ioga do conhecimento e a ioga da ação. Minha escola vai adotar essa filosofia, deixando de lado o aspecto religioso. O homem não se liberta unicamente pela renúncia. A ação também liberta. Ainda que estejamos aprisionados por nossos atos e suas consequências, há certas ações que nos libertam.

— Quais?

— As praticadas com desprendimento. A doutrina de Krishna é a dos atos desinteressados, aqueles que não aprisionam quem os executa. Eu posso agir sem produzir um carma, algo que determine meu destino de forma imutável. Eu posso, a qualquer momento, alterar a linha da minha vida, romper com o meu passado. Posso criar um novo presente. Portanto, um novo futuro. Assim, embora minha vida continue sendo consequência dos meus atos, ela pode ser modificada a qualquer momento. A única exigência é que minhas ações sejam desinteressadas, não egoísticas, pensando mais nos outros do que em mim.

— Preciso refletir sobre isso tudo.

— Pense. Você tem a eternidade.

— Espero não precisar de tanto tempo.

— Adoro o seu bom humor.

— Você me deixa bem-humorado.

— Deixo, é?

135

Trilha Inca — Wayllabamba
3.000 metros de altitud

— Cansado, Victor?

— Não.

(O grupo iniciou o trekking em Piskacucho, pequena comunidade à beira do quilômetro 82 da ferrovia Ollantaytambo-Aguas Calientes.)

— Só quero tirar as botas, aliviar os pés.

— Vamos colocar as mochilas na barraca: está montada. E você descansa: ainda quero dar uma caminhada enquanto não escurece.

(Após o improvisado jantar ao redor de uma fogueira, o guia passa algumas orientações. Já no primeiro dia da expedição ele nota que alguns clientes são bem inexperientes, e um deles sequer sabe usar o bastão de trekking.)

— Vou ensiná-los a utilizar melhor o bastão. Preciso de um modelo. *Don* Victor, por favor, me ajude aqui.

— Claro.

— O uso adequado do equipamento é fundamental na prática dos esportes radicais. Potencializa nosso esforço e diminui os riscos. Aliás, esta regra serve também no nosso dia a dia. As ferramentas são a chave do nosso sucesso, tanto profissional como pessoal. O segredo está em saber usá-las. E a montanha é um bom lugar pra descobrirmos isso, *don* Victor.

— É verdade.

(Depois da longa explanação sobre como usar os bastões de trekking, satisfeito com a própria exibição, o guia libera o pessoal. Eles se dirigem às pequenas barracas, onde tentam se acomodar para vencer a noite gelada.)

136

Diário da Montanha

Passei o dia caminhando montanha acima, algo que nunca imaginei pudesse fazer. Pelo menos não com tamanha intensidade. E, ainda por cima, carregando dois bastões que só agora aprendi a usar. Foi chão, bem mais difícil do que o Chacaltaya; lá eram poucas horas e já se descia. Aqui não. Quanto mais subimos, mais há pra subir. Caminhar à beira destes precipícios é excitante, mas dá medo. Lá pelas tantas, encontrei um garoto com uma mula. Paguei vinte soles e o animal me carregou durante uma hora, até ele dizer que não podia prosseguir, era perigoso. Pra mula! E agora, passar a noite numa barraca, nesta altitude e com tanto frio, não vai ser fácil. Espero que o saco de dormir funcione, senão vou congelar. Me sinto um pouco estranho sentado neste colchonete (os guias chamam de isolante térmico, e espero que seja mesmo) da espessura de um dedo, com as pernas enfiadas no saco de dormir, tentando registrar meu primeiro dia na Trilha Inca. É tudo muito bonito, não dá pra negar, mas o esforço físico é descomunal! Pior é ter que ficar dizendo tudo bem, estou bem, não se preocupe comigo, siga em frente, logo a alcanço. Como se ela se preocupasse. Agora está aqui, ao meu lado, sentada em posição de ioga (acho que é isso), escrevendo sem parar. Parece que nem estou na barraca. E se tenho um dos meus pesadelos? O que ela vai pensar? Aliás, há tempos não me acontecem. Será que me livrei deles? Tanta coisa nova tem entrado na minha cabeça; vai que eles foram empurrados pra fora. Melhor dormir, ainda temos três dias pela frente, preciso economizar energia. Espero que hoje tenha sido a parte mais difícil, pois estamos no topo da cordilheira; as próximas caminhadas devem ser menos cansativas.

137

Diário da Dulce

Trilha Inca — Primeiro dia — 12km, sete horas de caminhada — Entramos na TI no meio da manhã e seguimos pela margem esquerda do rio Urubamba. Subimos até as ruínas de Llaqtapata (2.650m), onde almoçamos: sopa de legumes, grossa e temperada, rodelas de abacate recobertas de atum, acompanhadas de tomates e pepinos crus, e um pedaço de pão. Sobremesa: uma laranja. Dobramos à esquerda e seguimos pelo vale do rio Cusichaca até Wayllabamba (3.000m), onde montamos o primeiro acampamento. Havia claridade suficiente pra vermos o rio Vilcanota, oposto ao Urubamba, ambos aos pés do nevado Verónica (5.832m). A vista é maravilhosa. Valeu o passeio. Vou dormir, amanhã teremos um dia bem mais puxado que hoje, quando subiremos a mais de quatro mil metros de altitude.

138

Trilha Inca — Pacamayo
3.500 metros de altitud

— Se você demorasse mais um pouco eu iria voltar pra te buscar.

— Não, nada disso; não precisa se preocupar. Me demorei por causa das fotos, a paisagem é impressionante.

(O guia-chefe temia que alguns clientes não conseguissem manter o ritmo do grupo principal, e foi o que aconteceu. Foram se espalhando pelo caminho e alguns chegaram além da hora recomendável.)

— Vamos jantar? Quero entrar logo na barraca pra olhar as fotos.

— Vá indo. Quero dar uma caminhada em volta do acampamento. Há ali emoaixo uma pedra ideal pra meditação.

"Ainda bem que ela não me convidou pra meditação. Descer pra tal pedra e depois ter que subir? Deus me livre!"

139

Diário da Montanha

Ver o sol substituir as estrelas foi demais. Ele nasceu por trás das montanhas, iluminando primeiro os picos mais altos e aos poucos os mais baixos. Até a neve muda de cor à medida que o dia vai clareando. E que dia! Cansativo, bem pior do que ontem, mas a paisagem! Parei tantas vezes pra tirar fotos que acabei ficando pra trás. Mas as paradas serviam pra descansar. E não me senti tão inseguro, já conhecia o terreno e tinha uma ideia do que me esperava na próxima curva. Aprendi a usar os bastões, e isso me ajudou. Agora, o que resolveu mesmo foram as folhas de coca. Masquei o dia todo, sem parar, como ensinou o guia. Fiquei com um gosto amargo na boca, mas, nossa, efeito imediato! Só não comi o chocolate que Dulce me deu, pois não tive fome. Mastigar o lanche ao meio-dia já foi um sacrifício. Não sei como ela consegue comer de tudo. Veio na frente, parecia uma cabrita montanha acima. E com aquela mochila enorme! Ainda bem que antes de sair do acampamento doei algumas roupas aos carregadores. Melhor ainda que Dulce não viu, iria recriminar. Pena que no bolso de uma das calças estava o poema que fiz pra ela, lá em La Paz, e que pretendia mostrar quando chegássemos a Machu Picchu. E agora não encontro mais o cara. Azar. Pelo menos a mochila ficou mais leve, o que valeu muito na hora em que nos aproximamos do passo. Que puxada! Aliás, passo pra mim significava um lugar baixo, mas aqui é o contrário. Quer dizer: mais ou menos. Na verdade, é o lugar mais baixo entre duas montanhas, só que fica acima das nuvens! Achei que não chegaríamos nunca ao topo, mas chegamos. E depois começamos a descer até o acampamento, ao lado do rio. Não acho que tenha muitos pecados (Pensar assim já é um pecado?) e vou sair desta com crédito! Dulce, que danada, continua lá fora conversando com o pessoal. Tem gente do mundo todo, parece uma conferência da ONU, e ela adora ficar bisbilhotando aqui e ali. Mulher é assim, né? Está muito frio, preferi entrar logo na barraca e descansar. Me disseram que amanhã teremos dois passos pela frente, mas não tão altos como o que vencemos hoje. Ainda bem. Vou dormir antes que ela chegue e eu fique pensando besteiras. Se bem que ela só tira as botas e entra no saco de dormir com roupa e tudo. Mesmo assim, continua um charme.

140

Diário da Dulce

Trilha Inca — Segundo dia — 11km, oito horas de caminhada — Acordamos às seis da manhã, tomamos mate de coca com pão e frutas e começamos a subir. Na primeira parte da trilha, do acampamento até o passo Warmiwañusca (4.198m), ponto mais elevado da travessia, o cenário foi mudando à medida que ganhávamos altitude. Passamos de serra coberta de árvores a uma área seca e alta com pouca vegetação. Cruzamos por lhamas e alpacas se alimentando com ichu, uma das raras plantas que conseguem crescer acima dos quatro mil metros. A partir do passo descemos por dentro de uma floresta de altitude onde pudemos ver alguns pássaros. As folhas de coca, ricas em ferro, que ajuda a circulação do oxigênio no organismo, e as barras de chocolate, que logo se transformam em calorias, foram decisivas contra o Mal da Montanha. Chegamos ao vale do rio Pacamayo, onde está o nosso acampamento, no meio da tarde. Amanhã teremos o dia mais puxado da trilha, mas o guia me disse que é o mais bonito.

141

Trilha Inca — Wiñay Wayna
2.650 metros de altitud

— Victor, quer tomar um banho?

— Mais tarde. Agora vou descansar um pouco na barraca.

(Ele entra no saco de dormir e pede pra Dulce acordá-lo na hora do jantar. Será a última noite na trilha, amanhã estarão em Machu Picchu, e os guias prometeram uma festa de despedida. Mas Victor cai no sono antes mesmo de ouvir a resposta de Dulce.)

142

Diário da Dulce

Trilha Inca — Terceiro dia — 16km, nove horas de caminhada — Saímos do vale do rio Pacamayo e subimos até o sítio arqueológico de Runkurakay (3.800m) — uma pequena estrutura oval, construída com propósitos sagrados, e uma torre de vigilância. Cruzamos o passo Runkurakay (3.950m) e começamos a descer. Paramos pra visitar Sayaqmarca (3.624m), com suas ruelas, fontes litúrgicas, pátios e canais de irrigação. Ao retomarmos a subida, passamos por dentro de um túnel inca e cruzamos Phuyupatamarka (3.700m), o terceiro passo da TI. As ruínas que deram nome ao passo constituem o mais completo e bem preservado sítio arqueológico ao longo da trilha. Formado por fontes de água com sólidas bases, o complexo religioso foi construído no topo da montanha, de onde se tem impressionante vista do vale do rio Urubamba. Descemos por uma escadaria de pedra até Wiñay Wayna (2.650m), uma antiga cidade inca formada por terraços agrícolas e dividida em setores religioso e urbano, onde acampamos. Hoje atravessamos diversas zonas de florestas de altitude ricas em fauna e flora. Os guias disseram que há ursos andinos nesta região, mas nada vimos. Em alguns lugares foi como se estivéssemos dentro das nuvens, um show. Os peruanos construíram um abrigo junto ao acampamento, onde se pode tomar banho quente e comprar bebidas, sucos e lanches no bar. Aproveitei pra lavar a cabeça e trocar de roupa. Agora estou aqui, escrevendo, enquanto Victor ronca dentro do saco de dormir. Ele chegou exausto, entrou na barraca e caiu no sono. Está vencendo a trilha com dificuldade, mas não reclama e vai chegar ao fim; uma vitória pra quem não tinha experiência em alta montanha. Trapaceou um pouco, achando um jeitinho de se desfazer das roupas pra deixar a mochila mais leve, mas tudo bem; faz parte da cultura dele. Não consegui acordá-lo nem pro jantar. Um cavalheiro, este gringuinho brasileiro, que em nenhum momento se insinuou pra mim. É o cara mais puro que conheci, o tipo de homem com quem se começa um namoro e, quando se vê, se está junto há vinte anos. De onde ele tirou essa alegria triste, esse jeito de anjo impedido de voar? Deixa o bello *dormir, vamos madrugar.*

143

Machu Picchu — 2.436 metros de altitud

— Acorda, Victor, vamos sair às cinco pra ver o nascer do sol em Machu Picchu.

— Machu Picchu?

(O café da manhã é rápido, o pessoal está ansioso. Há euforia no grupo, apesar do cansaço. Um misto de ansiedade e alegria os envolve, estão prestes a serem recompensados pelo esforço que fizeram para chegar à Cidade Perdida dos incas da forma como estes faziam: pelas montanhas.)

— Hoje será um grande dia, Victor.

— Você nem imagina.

— Não imagino o quê? Você está todo misterioso. Com essa cara estranha desde que acordou.

— E não é pra estar?

— É, o momento é especial. Vamos, quero chegar à frente dos outros.

— Por que à frente dos outros?

— Pra pegarmos o melhor lugar pra ver o sol nascer.

— Vá indo, você fez toda a trilha na frente.

— Fiz de propósito, queria você superando a trilha sem precisar de bengala. E você conseguiu. Meus parabéns. Mas agora é diferente, estamos chegando, e quero este momento contigo.

— Alguma promessa?

— Bobo.

(Ainda está escuro quando chegam à Porta do Sol, antigo posto de observação. O promontório é o lugar ideal para observar o amanhecer da Cidade Sagrada.)

— Olhem só!

— Que coisa!

(O céu vai clareando por trás das montanhas, descortinando um cenário grandioso. No palco, no topo do cerro Machu Picchu, a velha cidade vai sendo iluminada aos centímetros. As ruínas de templos, sacristias, palácios, observatórios, praças, casas de moradia e prédios industriais vão surgindo do escuro, e logo o cume da montanha está coberto pelo dourado das construções centenárias.)

— É incrível.

(Dulce se aproxima de Victor, que a enlaça pelos ombros. Permanecem assim, em pé, abraçados, tão juntos como nunca haviam ficado. A energia que vem da cidade os envolve, e eles sentem-se como se fossem únicos.)

— Me desculpe, Victor, sou chorona mesmo.

— Eu também.

(O guia espera alguns minutos, o pessoal está emocionado. Depois os reúne, quer dar uma rápida explicação sobre o que vão admirar quando descerem.)

— A montanha mais alta, ao fundo, é Wayna Picchu; a mais baixa, à nossa frente, é Machu Picchu. A Cidade Sagrada leva o nome da montanha. Aquele prédio redondo lá embaixo, o mais bem-acabado de Machu Picchu, é o Templo do Sol. No outro lado da escadaria está o Palácio Real, e, mais à esquerda, vocês podem ver a casa do Sumo Sacerdote. A Praça Central, onde as lhamas estão pastando, divide a cidade em dois bairros: o religioso e o residencial.

— Iremos visitar o Templo do Sol?

— Sim, *don* Victor. O Templo do Sol é a edificação mais importante de Machu Picchu. Agora vamos descer até lá. Teremos duas horas pra conhecer a Cidade Sagrada. Que só não foi destruída pelos espanhóis porque não a encontraram.

— Victor, quando chegarmos lá embaixo vamos deixar o grupo. Tenho um mapa minucioso das ruínas e prefiro ir descobrindo uma a uma. Temos um dia todo aqui, e não apenas as duas horas que o guia disse.

— Pode ser.

144

Templo del Sol

— Vamos esperar um pouco, tem muita gente.

— Boa ideia.

(Há diversas pessoas em volta do Templo do Sol. Além dos que vieram pela trilha, estão chegando os ônibus com os turistas que dormiram em Aguas Calientes. Victor espera o local ficar vazio, pega Dulce pela mão e a leva para dentro do templo.)

— Eu tenho um presente pra você.

— Um presente pra mim?

(Um falcão dourado pousa na muralha, bem à frente deles.)

— Sim.

— Adoro presentes. O que é?

— Olha.

(Dulce abre a caixinha e tira a imagem de prata de Ekeko que Victor comprara em La Paz.)

— Meu Deus!

— É o deus da abundância dos aimarás.

— Eu sei, eu sei. E o que é esta casinha?

— É o prédio pra sua escola de ioga. Colocando ela embaixo da imagem de Ekeko, ele a trará pra você.

— Victor!

145

Aguas Calientes — 2.100 metros de altitud

— Não está gostando da comida, Victor?

— É que ando sem fome.

(A varanda do restaurante avança sobre as águas turbulentas do Urubamba. O barulho da correnteza abafa a conversa, é preciso aproximar o rosto para falar com quem está no outro lado da mesa.)

— Alguma preocupação, querido?

— Não sei se é preocupação ou o que é. Mas venho pensando numas coisas.

— Tenho notado.

— Nunca vi um lugar tão bonito. Um povoado assim, sem ruas largas nem automóveis, cortado por dois rios que descem como se fossem cachoeiras e entre montanhas cobertas de nuvens, pensei que só existisse nos livros dos contos de fada. Isto é o paraíso. E, além de ser lindo, é pura energia.

— Victor, os lugares que passaram por grandes tragédias, onde o povo foi injustiçado, conservam uma energia especial. É como um braseiro que tenha sido coberto pelas cinzas. Basta soprar o vento que ele reacende. Machu Picchu, São Miguel das Missões, Santiago de Compostela, Jerusalém e muitos outros lugares guardam essa capacidade de reacender as esperanças e os sonhos humanos. Por isso, são centros de peregrinação.

— Deve ser, porque tô emocionado. Este lugar é mágico, me sinto como um peixe que tivesse voltado pra água.

— Eu sei do que você está falando, querido.

— É como se estivesse me transformando noutra pessoa.

— Victor, quando fazemos um esforço físico contínuo, como andar na Trilha Inca, o corpo vai se extenuando, e nosso lado emocional ganha espaço. É como se as nossas emoções se libertassem do físico, não fossem mais reprimidas pela mente. Então ficamos mais sensíveis, capazes de perceber nuanças que nem imaginávamos pudessem existir.

— Você tá falando da minha alma?

— Estou falando da sua alma e do seu inconsciente, pois espiritualidade e psique são partes de um mesmo ser. Olha, não é que você tenha mudado; tudo o que você está sentindo agora já existia dentro de ti. Essas emoções apenas vieram à tona. Eu me dei conta disso ao percorrer o Caminho de Santiago, quando então me decidi parar com o que estava fazendo e ir pra Índia.

— É uma grande descoberta.

— Sim, e a maioria das pessoas só faz essas descobertas quando se envolve numa grande tragédia ou sente uma perda irreparável. Outras não precisam sofrer tanto. Eu descobri o que desejava da vida quando cheguei a Santiago de Compostela; você descobriu quando chegou a Machu Picchu.

— Dulce, eu gostaria de ficar dois ou três dias descansando aqui antes de voltar a Qosq'o. Você quer ficar comigo?

— Também adorei o lugar.

— Então! Poderíamos descobrir, em alguma pousada na margem do rio, cabanas com vista pro cerro Machu Picchu. Adoraria olhar pra montanha e imaginar a Cidade Sagrada lá no topo.

— Machu Picchu, o Templo do Sol.

— Uma cabana com um alpendre, onde pudéssemos passar as tardes apreciando a paisagem, tomando mate de coca e conversando; sem precisar fazer nada.

— Não é má ideia.

— Vamos procurar?!

— Vamos.

"Que lugar incrível, meu Deus! Ou seria meu Viracocha? E se ela tivesse dito não? Eu seria capaz de me atirar no rio. Não, não me atiraria, não tenho essa coragem. Mas o resultado seria o mesmo. Ah, seria! O que tá acontecendo comigo? Só porque ela me deu um longo beijo na boca, na frente de todo mundo, lá no Templo do Sol, já fiquei deste jeito? Onde isto vai acabar? E se ela não gostar das cabanas e resolver ir embora? Nunca me senti tão idiota; nem tão feliz. Ludovic tinha razão: caí na teia da aranha. E tô adorando."

146

Pousada Cabañas de la Montaña

— *Buenas tardes.*

— *Buenas tardes, caballero.*

(Victor e Dulce são recebidos pelo dono da pousada, uma das mais charmosas de Aguas Calientes. Um pouco retirada do centro, na parte alta do povoado, fica ao lado de um riacho cujas águas descem furiosas em direção ao Urubamba. Um pouco acima estão as piscinas termais com as águas que dão nome ao lugar.)

— O senhor tem cabana disponível?

— Sim.

— Com vista pras montanhas?

— Todas as cabanas têm vista pras montanhas.

— Tem banheiro privativo?

— Sim, *señora.*

— Podemos dar uma olhada?

— Claro, *señor.* Temos cabanas com duas camas de solteiro e com uma cama de casal.

— Dulce, pode ser uma cama de casal, né?

— Pode.

147

Cabaña Machu Picchu — Cuarto

— Ah, não, assim não dá! *Per favore!*

— Droga!

(O barulho provocado pelo ringir da cama desfaz o clima romântico do casal.)

— Vamos botar o colchão no assoalho, querida?

— Vamos.

(Os beijos, os sussurros, os gemidos e a respiração ofegante se fundem às águas espumantes do riacho descendo em cascata pelo Vale Sagrado.)

— Viiictor!

148

Cabaña Machu Picchu — Cuarto de Baño

— A água não está muito quente, querido?

— Não, gosto assim, parece uma sauna.

(Victor e Dulce tomam banho. O vento rodopia entre as montanhas. Chove e faz muito frio, mas a cabana está aquecida.)

— Gostou?

— Muito. Me fez lembrar minha primeira vez.

— Sério?

— Eu tinha uma amiga em Florença, muito querida, dois anos mais velha do que eu. Ela tinha um namorado, mas a mãe não deixava sair sozinha com ele. Então ela queria que eu namorasse o amigo dele; assim, os quatro, teríamos mais liberdade. Pelo menos era o que ela pensava.

— Que idade você tinha?

— Eu era muito nova, tinha quatorze anos incompletos, e disse pra ela que não sabia nada de namoro. Se o cara fosse me beijar, eu iria morrer de vergonha. Então ela disse que me ensinaria.

— A beijar?

— É, namorar, beijar. Tudo. Combinamos, e uma tarde ela foi lá em casa. Estávamos sozinhas, e ela propôs que fôssemos tomar um banho. Porque assim, com a água bem quente, com esta névoa, a gente não ficava com vergonha uma da outra.

— Criativa, a garota.

— Bem, foi a primeira vez que fui beijada nos seios e acariciada pelo corpo todo. Entende?

— Sim.

— E eu gostei. Acabou numa sensação estranha, mas sei que gostei. Foi a única vez que uma mulher me tocou, e acho que hoje eu não gostaria, mas aquela vez eu gostei. Gostei muito, assim como hoje, por isso me lembrei.

— Que bom.

— E você, gostou?

— Muito.

— Também lembrou sua primeira vez?

— Não. A minha primeira vez foi ruim.

— Quer contar?

— Você quer ouvir?

— Quero.

— Eu estudava no Colégio Militar...

149

Uma Semana Depois

— *Prego!*

— Uma surpresa!

(Dulce está na varanda da cabana, sentada em posição de ioga, quando Victor aparece vestindo as roupas que usava quando a encontrou em La Paz.)

— Surpresa mesmo! Me deu um susto.

— Sério?

— Quase não te reconheci.

— Qual roupa você prefere: esta ou a que usei na trilha?

— As roupas de montanha, que você usou na trilha. Adorei a calça cheia de bolsos. E a parca e as botas de trekking ficam bem em você. As roupas precisam ser confortáveis e utilitárias, o resto é perda de dinheiro.

— Mas em La Paz você disse que eu ficava mais bonito com a calça listrada e o poncho.

— Ah, mas isso em comparação ao terno e gravata que você estava usando em Foz do Iguaçu. Aí sim. Mas agora, com suas roupas esportivas, você está mais bonito. Gosto de você assim, mais descolado.

— Vá entender as mulheres.

— Vá entender os homens.

— Falando sério: agora que você visitou todos os lugares, decidiu onde instalar a escola de ioga?

— *Cariño*, de todos os lugares visitados, onde encontrei a melhor energia foi em São Miguel das Missões, mas o hostal à venda lá é muito caro. Os imóveis no Brasil são os mais caros da América do Sul. Meu dinheiro não chega.

— Falta muito?

— Falta a metade.

— Isso é muito dinheiro?

— Pra mim, é. Pra você, por exemplo, seria o valor da sua caminhoneta. Dinheiro é relativo.

— Quem será a clientela?

— Gente do mundo todo.

— Por que eles iriam até lá se há tantas escolas de ioga pelo mundo?

— Por causa da energia do lugar.

— Então o fator local é decisivo.

— Sim.

— Vale a pena investir lá?

— Vale.

— Você não quer um sócio?

— Quem?

— Eu.

— Você?

— Por que não? Algum problema? Posso vender a caminhoneta.

— Tudo o que você fizer por mim agora, vai cobrar lá adiante. Não vou começar este negócio com uma dívida tão grande. Você deve fazer aquilo que for melhor pra você, e não pros outros; nem mesmo pra mim. O segredo do sucesso de qualquer relação está na coincidência de interesses e não na anulação de um dos dois.

— Calma, italianinha apressada, você nem me deixou concluir o que desejava falar.

— Então fale.

— Eu conheci um cara no Paraguai, um amigo especial. Se não fosse ele, eu não teria começado esta viagem nem lido o monte de livros que li nas últimas semanas. Ele nos apresentou em Assunção, aquele encontro que te falei e você disse não lembrar.

— Você está falando do Vincent, o gringo holandês? Dele eu me lembro. O que não lembro é de termos sido apresentados.

— É, nem foi uma apresentação. Você passou, e ele te disse que éramos amigos. Você me cumprimentou e seguiu em frente.

— Pode ser. Mas o que tem o Vincent?

— Ele morreu pouco depois, em Amsterdã, atropelado por um caminhão.

— O Vincent!

— É, o Vincent!

— Era um cara legal.

— Eu sei. E tenho uma dívida com ele. Se não fosse ele ter me convencido a fazer esta viagem, me empurrado pro mundo, nada disso teria existido na minha vida. Nem teria te conhecido. Provavelmente, agora eu estaria em casa, achando que vivia no centro do universo.

— Li no seu blog que o centro do mundo é onde você está.

— Você leu o meu blog? Por que não me disse?

— Se eu dissesse, você pararia de escrever coisas como fazer a Trilha Inca era um grande sonho seu.

— Ah, para com isso.

— Você falava do Vincent.

— É, é isso. Olha, há semanas eu venho pensando em fazer algo que realmente seja importante, que faça a diferença. Tenho certeza que posso. Mais do que isso: agora eu sei o que eu quero pra minha vida.

— E o que você quer?

— Criar uma organização não governamental em homenagem ao Vincent.

— E a que se dedicaria essa ONG?

— A educar crianças carentes sobre a importância da preservação ambiental.

— Você está pensando grande.

— Pois então. Poderíamos comprar o prédio em São Miguel das Missões e dividi-lo: você faz sua escola numa parte, eu faço minha ONG na outra. Conheço alguns velhos amigos do meu pai, em Brasília, que me ajudariam a levantar verbas pra um empreendimento assim.

— A ideia é boa.

— Tem mais.

— Estou ouvindo.

— É que nesta viagem gostei muito de conhecer pessoas, fiz muitos amigos, e a escola seria uma forma de continuar tendo contato com gente do mundo todo. E ainda aproveitamos esse pessoal que vai passar por lá pra fazer palestras, essas coisas.

— Está convicto disso?

— Tô.

— Ótimo. Se for assim, eu topo. Olha, me desculpe a franqueza. É que venho de uma relação fracassada, quando me anulei perante um ex-namorado só porque ele era o dono da clínica onde eu trabalhava.

— Por isso você foi pra Índia?

— Em parte, sim.

— Por que em parte?

— Porque não foi uma simples fuga, mas também a busca de uma realização que eu não estava tendo em Florença.

— E acha que vai ter no Brasil?

— Tenho certeza. Estou agindo de forma desinteressada, por convicção. Por isso, exijo o mesmo de você. Porque sei na pele o que é agir por interesse.

— Você acha que uma relação pode ser assim, digamos, tão planejada?

— Victor, não estou falando da nossa relação, mas do negócio. A relação, esta energia que nos atrai, independe de nós. Mas a nossa sociedade comercial, se for mal compreendida, pode acabar com tudo. O amor, qualquer tipo de felicidade, em nosso caso essa energia cósmica que nos une, só se sustenta se estiver em harmonia com o mundo real. Sei do que falo, esse é o desafio.

— Eu topo vender a camioneta pra criar a ONG.

— Também topo você como sócio na compra da casa.

150

Weary Gringo Restaurant

— Há um gringo brasileiro aqui?

— Sim, sou eu.

(Victor está tomando café no restaurante à beira do Urubamba. Espera Dulce, que saiu à procura de uma agência de viagens.)

— Victor Brasil?

— Sim.

— Interpol. O senhor está preso.

— Preso?

— Não banque o desentendido.

— Ei, o que é isso?

— Um par de algemas, não está vendo?

— Ei, pare com isso.

— Vamos! Vamos!

151

Avenida Imperio de los Incas

— Por favor, uma informação: há alguma agência de viagens por aqui?

— Sim, ali em frente ao Mercado Central.

(Dulce agradece ao rapaz e segue pela avenida em direção ao local indicado. A pequena loja está movimentada, há muitos gringos chegando ou saindo da vila.)

— Vocês vendem passagem aérea?

— Pra onde?

— Brasil.

— Que parte do Brasil?

— Porto Alegre.

— Sim, há um voo direto Lima-Porto Alegre.

152

Delegacia — Começo da Manhã

— Delegado, tá havendo algum equívoco, o senhor precisa acreditar em mim.

— Mas eu acredito. Acredito em você, em Viracocha. Sou um homem crédulo.

(A pequena delegacia fica movimentada com a chegada dos federais.)

— Isto é tão ridículo que tô levando meio na brincadeira. Mas sou advogado, conheço meus direitos.

— Aqui, o único direito que você tem é o de calar a boca. Mesmo assim, até decidirmos que você deva falar.

— Quais as provas que o senhor tem contra mim?

— Inspetor, o gringo quer ver as provas. Traga o dossiê, vamos refrescar a memória dele.

— Um momento.

— Nós o estamos seguindo há semanas e, graças a isso, prendemos o seu cúmplice. Não esperávamos, nossa investigação estava centrada na Operação Brasil, mas, como você nos levou a ele, tudo ficou mais fácil.

— Cúmplice? Deve estar mesmo havendo um engano. O senhor tá me confundindo com outra pessoa.

— Aqui está, delegado.

— Então vamos ver. Quem é este nesta foto?

— Eu?!

— Ah, se reconhece? Pensei que eu estivesse confundindo você com outra pessoa.

— Mas o que isso significa?

— E esta outra, o que significa? Vocês jantando no restaurante mais caro de La Paz, o que significa?

— Ludovic?!

— Ah, Ludovic! Que memória boa você tem. Ludovic Hofmann. Prendemos ele no mês passado, em Santa Cruz de la Sierra. Tentava embarcar com uma mala cheia de máscaras artesanais recheadas com pasta de coca.

— Não pode ser! Ele trabalha num banco na Suíça.

— Trabalha no banco e distribui cocaína pros colegas e muitos outros executivos em Zurique. Estamos na cola dele há dois anos, quando veio à Colômbia supervisionar um carregamento. Agora, veja só, ele mesmo tentou levar a droga. Que ousadia! Por certo, achava que os bolivianos são trouxas. Mas você nos levou a ele, passamos a segui-lo e o pegamos.

— Me seguiram?

— Seguimos você e pegamos os dois. Foi um bom trabalho da nossa Inteligência.

— Ludovic?!

— Ludovic Hofmann.

— Que decepção, delegado! Nunca imaginei!

— Ah, é? Ele disse o mesmo de você.

— Ele acha que tá preso por minha causa?

— E não é verdade? Foi você que nos levou a ele, esqueceu?

153

Agencia de Viaje El Viejo Inca

— Não há uma opção mais barata?

— Assim, em cima da hora, é difícil.

(Dulce quer ver mais alternativas, mas o funcionário está com pressa, há muitos clientes esperando atendimento.)

— Alguma promoção, nada?

— Tem uma aqui, bem em conta, mas, como toda promoção, tem uma série de limitações.

— Quais?

— O voo não poderá ser transferido nem a passagem cancelada. Se não voarem, não terão direito ao reembolso.

— Não tem problema. Não pretendemos transferir nem desmarcar nada; a viagem está decidida, queremos voar o quanto antes.

— Então serve esta.

— Fecha a conexão em Lima?

— Sim, e nem precisarão esperar muito no aeroporto.

— Ótimo, o senhor pode emitir os bilhetes: Victor Brasil e Dulce Bruni.

154

Mercado de Artesanía

— E aquele, quanto custa?

— É de prata, bem mais caro.

(Passagens na mão, Dulce faz as últimas compras.)

— Posso ver?

— Claro.

"Acho que Victor vai gostar."

— Dá pra fazer um desconto?

— Tem este, mais barato.

— Gostei daquele. É pro meu namorado, acho que ele vai gostar. Então, dá pra fazer um desconto?

— A senhora vai pagar em dólares ou *soles*?

— Pode ser em euros? Não tenho mais *soles.*

— Em euros eu posso dar quinze por cento de desconto.

— Trinta por cento. É uma peça cara.

— Vinte.

— Está bem.

155

Delegacia — Começo da Tarde

— Chame o delegado, quero falar com ele.

— Um momento.

(Uma hora depois.)

— O que foi? Deseja confessar mais algum crime?

— Delegado, me lembrei duma coisa. Posso provar tudo o que falei.

— Como?

— Na minha mochila tem um diário, tudo registrado. O jantar com o casal de brasileiros em Oruro, quando falei que tinha deixado as malas em La Paz; meu encontro no trem com Ludovic, quando o conheci; tudo, tudo; até minha volta a La Paz, quando descobri o roubo das malas. O senhor pode mandar um agente conferir.

— Um diário? Você tem um diário? Além de traficante é *maricón*? E quer me convencer com essa história? Está pensando o quê de mim, *hombre*! Na outra semana prendi um traficante, e sabe o que ele me disse? Que no dia do contrabando estava em Roma. Roma, sabe? Ele tinha até uma foto em frente ao Coliseu, com data e tudo. Sabe essas fotos que tiram dos turistas, com data e tudo? Pois é, ele tinha uma, em Roma! E você acha que eu caí na conversa dele? Esse truque é velho! Tá na cadeia. Vai apodrecer lá. E agora você me vem com um diário? Ah, *hombre*, poderia pelo menos ter sido mais criativo.

— Não quero confronto, apenas sair daqui. Minha namorada me espera no hostal, viajamos amanhã. A esta hora ela deve estar aflita. Me lembro de ter escrito no diário que reclamaria na embaixada, e reclamei. Deve haver algum registro por lá. O senhor pode confirmar com a embaixada brasileira em La Paz; basta dar um telefonema.

— Não vou perder o meu tempo com isso.

— Pois deveria.

— Está me ameaçando?

— Não. Tô apenas tentando evitar um problemão futuro pro senhor por conta deste equívoco.

— Não estou interessado.

— Se eu sou um traficante, como o senhor diz, deveria se interessar pelo meu diário, não acha? Tá tudo lá, tim-tim por tim-tim.

— Onde está?

— No hostal, o senhor deve saber.

156

Estación de Ferrocarril Perurail

— Duas passagens pra amanhã, no primeiro trem.

— No Vistadome ou no trem comum?

(Há um trem expresso, turístico, e outro mais barato, utilizado pelos moradores locais e mochileiros.)

— Qual vai sair primeiro?

— O trem comum.

— E a que horas ele sai?

— De madrugada.

— Pode ser nele.

157

Pousada Cabañas de la Montaña

— O senhor pode me explicar o que aconteceu em nossa cabana? Está toda revirada.

— Foi a polícia.

(Dulce reclama na recepção do hostal.)

— Que polícia?

— Os agentes da Polícia Federal estiveram aqui, pediram a chave, tive que dar. Eles me disseram que tinham ordens de entrar, estavam à procura de um diário do *señor* Victor.

— Onde está Victor, o senhor sabe?

— Preso.

— Preso?!

— Os policiais disseram que ele é um traficante, está preso; vão levá-lo ainda hoje pra Lima.

— Victor é um traficante?

— Sim, e disseram que é dos grandes. Foi preso de manhã, enquanto tomava café. Estavam atrás dele há semanas. Demoraram a encontrar porque ele se escondeu na Trilha Inca. Pelo menos foi o que os policiais me disseram. Eu não queria entregar a chave da cabana, a senhora pode acreditar, mas, diante de tantas provas, o que eu poderia fazer?

— Então Victor é um traficante, é?

— Foi o que disseram. Está preso.

— *Per favore!*

158

Cadeia de Aguas Calientes

"Só uma foto."

"Nem carrego máquina fotográfica."

(Victor relembra as conversas com Ludovic, tenta se convencer de que ele seja mesmo um traficante.)

"Você viaja pelo mundo sem tirar fotos?"

"Não é pra isso que viajo, pra tirar fotos."

"O que você sabe de cocaína?"

"Muito pouco. E você."

"Tudo."

"O banco sabe disso?"

"Sabe, mas faz que não, porque todos fazem. Meu chefe cheira todos os dias. Ele tem medo de perder o cargo pra algum de nós caso não seja o mais esperto."

"Onde você compra a cocaína?"

"Por aí."

159

Cadeia de Aguas Calientes — Madrugada

— Inspetor, traga o gringo brasileiro.

— Sim, senhor.

(Pouco depois.)

— Checamos sua história com a embaixada brasileira em La Paz e com a Polícia Federal em Brasília. Você está solto. Foi salvo pelo diário. Que veadagem!

— Ah, eu não disse?

— Caia fora daqui.

— Quero o meu chapéu de volta.

— Aqui está.

— Vincent, meu querido amigo, onde quer que você esteja, te devo mais esta.

— O que você disse?

— Nada, delegado. Tô falando com Viracocha.

160

Embraer 190

— Viajei o tempo todo com Ludovic e não desconfiei de nada.

— Pare de se recriminar. Você é o último cara no mundo que desconfiaria de um traficante profissional.

(Victor e Dulce viajam de Qosq'o para Lima.)

— Ele era um cara legal. E, pelo jeito, nem precisava de dinheiro, ganhava bem. Não consigo entender. Como pode?

— A ambição humana é ilimitada.

— Mas eu devia ter desconfiado. Todos no banco cheiravam cocaína. Alguém tinha que fornecer. Por que não poderia ser ele, sempre viajando? Outra coisa: viajava sem uma câmera fotográfica; um turista viajando sem uma câmera fotográfica, você já viu? E a visão que ele tinha da vida, supermaterialista? Só uma coisa não entendo: a ida a San Vicente. O que ele buscava naquele fim de mundo?

— Pois essa eu entendo: primeiro, foi visitar dois transgressores famosos. Vai ver, se imaginava tal e qual. Segundo, a viagem seria um ótimo despiste, caso a polícia estivesse de olho nele.

— Eu ali, ao lado dele, imagina. Podia ser preso só por isso.

— Mas, por ironia, o suspeito era você, e a polícia chegou nele por sua causa.

— Agora ele deve estar me culpando.

— Você não tem culpa de nada, está aqui, livre; é ele que está lá, preso.

— Deve estar me odiando. E sou inocente!

— Queria ser culpado? Victor, está na hora de você esquecer essa história. Olha só, este avião é fabricado no Brasil.

— É? Não sabia que o Brasil fabricava aviões tão grandes.

— Tá aqui, na revista de bordo. Avião comercial a jato, com capacidade para cento e quatorze passageiros. Além do Peru, está voando em outros países, como França, Alemanha e China.

— Legal.

— O Brasil está se globalizando.

161

Aeropuerto Internacional Jorge Chávez — Lima

— Quantos destinos!

— Dá vontade de viajar, né?

(Estão diante do display com os horários de saída dos voos internacionais. Checam o portão de embarque para Porto Alegre.)

— Olha, Dulce, agora que perdi o medo de avião, vou conhecer outros países.

— Você está se tornando um cidadão do mundo. Um gringo, como dizem.

— Gostei disso.

162

Sítio Arqueológico de São Miguel Arcanjo
São Miguel das Missões

— O ingresso é muito barato. Vocês deviam cobrar mais caro, se trata de um patrimônio da humanidade.

— Mesmo assim, não querem pagar. A verba que recebemos do governo é pequena, e a bilheteria não dá pra nada.

(O pequeno museu está repleto de imagens de santos esculpidas em madeira. Victor se admira com a qualidade dos trabalhos, alguns ainda conservam a cor original. Na varanda do prédio, famílias indígenas vendem artesanato exposto em panos estendidos no chão.)

— O senhor fala guarani?

— Falo.

— Essas crianças são seus filhos?

— São.

— Onde vocês moram?

— Na aldeia atrás da catedral, lá nos fundos da Redução.

(Ele atravessa o descampado entre o museu e as ruínas da igreja e vai apreciar o que sobrou da magnífica catedral. Ainda há muito para ver, a restauração foi bem conduzida e o lugar transmite uma serenidade que ele não conhecia.)

"A catedral é mais bonita do que os prédios das antigas cidades incas e tá mais bem preservada. Engraçado que lá havia tanta gente e aqui não se veem turistas. Talvez tenha sido por isso que Vincent se apaixonou pela Redução. Lembro ele dizer que gostava mais de imaginar as pessoas que viveram nestes lugares do que ver um bando de gente fotografando as pedras que sobraram. Vincent e seus fantasmas. Que cara! Aliás, por falar em fantasmas, será que ele não anda por aqui? Não me admiraria! Ih, meu chapa, que arrepio é este?"

— Vincent?

"Cara, vou fazer algo em teu nome: uma escola pra ensinar às crianças indígenas técnicas de preservação do meio ambiente, algo que elas sabiam e perderam ao entrar em contato com o homem branco. Depois, vamos patrocinar encontros delas com jovens do Brasil inteiro, uma grande campanha ambiental. Vou convidar Ted pra fazer as fotos de divulgação. Lembra-se dele? Se até Ludovic, aquele safado, dizia que o importante é termos um objetivo na vida, imagina então quando esse objetivo é por uma boa causa. Esta, meu querido, até Louise aprovaria."

— *Please, could you take my picture?*

— Ãh?

(Victor, distraído em seus pensamentos, não vira a moça se aproximar.)

— *A picture.*

— *Of course.*

(A turista passa a câmera.)

— *Where're you from?*

— *New York.*

— *Welcome to São Miguel.*

— *Thank you.*

(Victor sugere que ela fique de perfil, olhando para a catedral, e não de costas para o prédio, como estava. E dê uns passos mais para o lado. Ficará mais bonito e dará profundidade à fotografia.)

— *But, how my friends will know it's me?*

— *You know.*

(Ela confere a foto, parece ter gostado.)

— *Now I'm going to visit the cathedral.*

— *Enjoy it.*

— *I loved your Panama hat.*

— *Please, go. It is nice to see the sun inside of the church.*

— *Bye.*

— Tchau.

(A bela moça se afasta, sorrindo. Victor a acompanha com o olhar.)

"Uma turista. Que bom. Com a escola de ioga, mais pessoas conhecerão a Redução. Isto aqui ficará movimentado de novo, gente do mundo todo, dessa vez em busca de paz."

163

Pousada Sepé Tiaraju

— Você gosta do prédio, *cariño*?

— Tem a sua cara.

(Victor e Dulce examinam a pousada ao lado do sítio arqueológico.)

— E, quando comprarmos, vai ficar igual a nossa cara.

— Olha, hoje de manhã, caminhando em frente à velha catedral, senti uma energia muito forte, como se Vincent estivesse ali, junto comigo, querendo me dizer algo.

— Vai ver que estava.

— Você acha mesmo?

— Claro. E não só ele. Este lugar está cheio de energia, das pessoas que viveram aqui há séculos tentando criar uma sociedade mais humana, um modelo de vida em que a solidariedade, e não o individualismo, fosse a característica.

— Precisamos dar continuidade ao trabalho deles.

— Victor, nada é por acaso neste mundo.

— Minutinho, Dulce, é a dona Cândida no celular. Vou atender ali fora.

— Diz que mandei um abraço pra ela.

— Alô.

— Meu filho, meu filho, nem posso acreditar.

— Calma. Não vá ter um ataque.

— Maravilhoso!

— O que tem de maravilhoso?

— O concurso. O seu concurso pro Senado.

— Ah.

— Tá aqui, tá aqui na minha mão. Que felicidade, meu filho! Acabo de receber a confirmação. Deus atendeu as minhas preces. Você está sendo chamado pra assumir seu emprego de advogado no Senado Federal.

Este livro foi composto na tipologia Minion Pro Regular, em corpo 11,5/15,5, e impresso em papel off-white no Sistema Cameron da Divisão Gráfica da Distribuidora Record.